Hoe blijf ik gezond in de tropen

Bewerking 17e druk: dr. P.A. Kager

Koninklijk Instituut voor de Tropen 1998

Prof dr. P.A. Kager, internist, werkte in Zaïre (thans Congo) en Kenya. Sinds 1981 is hij verbonden aan de Onderafdeling Infectieziekten, Tropische Geneeskunde en Aids van het *Academisch Medisch Centrum* (Universiteit van Amsterdam). Deze afdeling heeft poliklinische spreekuren voor patiënten met tropenziekten en verzorgt keuringen voor diegenen die langere tijd in de tropen gewerkt hebben. Tevens is er een vaccinatiebureau gevestigd.

1e t/m 9e druk: dr. J.D. Vervoorn
10e t/m 13e druk: dr. J.F.M. de Groot
14e druk: dr. S.P. Smits
15e druk: dr. S.P. Smits en dr. P.A. Kager
16e t/m 17e druk: dr. P.A. Kager

© 1998 Koninklijk Instituut voor de Tropen - Amsterdam
17e geheel herziene druk
Omslag: Freek Thielsch
Vormgeving binnenwerk: Basislijn, Hennie van der Zande
Opmaak: Basislijn, Henny Scholten
Druk: SSN - Nijmegen
ISBN 90 6832 114 5
NUGI 735

Inhoud

Voorwoord **5**
Inleiding **7**

1 Voorbereiding op de reis **10**
2 Na aankomst **30**
3 Malaria **42**
4 Darminfecties **62**
5 Wormen **74**
6 Huidziekten **88**
7 Andere ziekten **93**
8 Het voorkómen van aids **101**
9 Slangen en andere enge beesten **107**
10 Na terugkeer **113**

Bijlage **116**
Register **120**

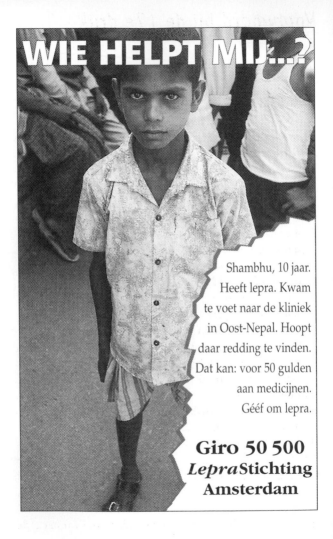

Voorwoord bij de 17e druk

Wat is malaria precies en hoe kunt u die ziekte voorkomen? Waarom krijgt u in de tropen zo vaak diarree? Wat is amoebendysenterie? Hoe gevaarlijk zijn allerlei tropische wormen, slangen en ander ongedierte? Is het gevaar voor aids in de tropen groter?

Aanstaande, maar ook heel wat ervaren tropengangers zitten vaak met veel vragen. De risico's van een tropenverblijf worden dikwijls onderschat, maar misschien nog vaker overdreven. De auteurs van *Hoe blijf ik gezond in de tropen* hebben steeds geprobeerd een gulden middenweg te wijzen tussen overdreven bezorgdheid en onverantwoorde nonchalance.

Getracht is de mogelijke gezondheidproblemen zodanig te beschrijven, dat de tropenreiziger weet waar hij of zij mee te maken kan krijgen; waar u zich tegen kunt beschermen en hoe; maar bovenal wat u er zelf aan kunt doen om een verblijf in de tropen tot een ervaring te maken waar nog lang met plezier aan teruggedacht kan worden.

De snelle veranderingen in de tropische landen en in de reisomstandigheden nopen steeds weer tot aanpassingen in de tekst. Ook de ontwikkeling van de kennis over tropenziekten gaat onverminderd door. Daarom is ook deze 17e druk van *Hoe blijf ik gezond in de tropen,* uitgegeven sinds 1969, volledig herzien.

Extra informatie over het vóórkomen van ziekten per land is toegevoegd. Kaartjes en schema's geven een duidelijk overzicht van de verschillende ziekten en de daarbij horende vaccinaties. Tevens zijn in sommige hoofdstukken de ziekten gerangschikt naar hun relevantie voor tropengangers: *** betekent dat de ziekte vaak bij reizigers en *expatriates* wordt aangetroffen; * betekent dat ze bij hen weinig voorkomt. Bovendien is de informatie beter geordend waardoor het zoeken naar een ziekte en de remedie ertegen makkelijker is geworden. Nieuw is informatie over de zon, hygiëne, kleding en zeedieren.

Toch is het mogelijk dat zich na het verschijnen van deze uitgave weer nieuwe ontwikkelingen voordoen. Informeer daarom minstens twee maanden voor aanvang van de reis bij huisarts of GGD over de nieuwste ontwikkelingen.

Bij de totstandkoming van de 17^e druk van *Hoe blijf ik gezond in de tropen* werkte het Tropeninstituut nauw samen met de Onderafdeling Infectieziekten, Tropische Geneeskunde en Aids van het Academisch Medisch Centrum in Amsterdam. Het Landelijk Coördinatiecentrum Reizigersadvisering (LCR) stelde bereidwillig de gegevens voor de kaarten ter beschikking en verleende ook op andere terreinen waardevolle adviezen.

De uitgever

Ondanks het feit dat doseringen en namen van geneesmiddelen in deze gids zorgvuldig zijn gecontroleerd, wordt dringend aangeraden om van alle medicijnen dosering, indicatie voor gebruik en bijwerkingen in het land zelf opnieuw te checken. De auteur en de uitgever zijn niet aansprakelijk voor eventueel nadelige gevolgen van verkeerd geneesmiddelengebruik.

Inleiding

De meeste mensen die naar de tropen reizen hebben een plezierige reis zonder veel problemen en narigheid; sommigen hebben wat diarree en buikklachten. Ernstig ziek wordt men bijna nooit en slechts een enkeling moet opgenomen worden in een ziekenhuis en/of gerepatrieerd. Als iemand in de tropen overlijdt, is dat meestal door een ziekte van het hart of de bloedvaten (net als thuis, in Nederland) of ten gevolge van een verkeersongeluk. Sterfte door een besmettelijke ziekte is heel zeldzaam. Daarentegen zijn motor- en bromfietsongevallen berucht. Ook verdrinking komt relatief vaak voor.

Het risico dat u in de tropen een vervelende ziekte of kwaal oploopt, is afhankelijk van de manier waarop u er reist, logeert, woont en werkt en ook van de duur van het verblijf. Terwijl wij in Nederland door allerlei diensten worden beschermd tegen infectieziekten, ontbreken dergelijke voorzieningen vaak in tropische landen of zijn slecht georganiseerd. Hier zijn alle etenswaren gekeurd en is het kraanwater zonder meer geschikt om te drinken. Riolering en vuilophaaldiensten zorgen voor een veilige afvoer van ons afval. In de tropen laten de hygiënische omstandigheden dikwijls veel te wensen over, zelfs al lijkt de situatie soms oppervlakkig op die in een rijk land. Er zijn veel meer insecten, waarvan een deel ziekten kan overbrengen. Bovendien moet men er vaak overschakelen op andere voedingsgewoonten.

De Europese tropenganger is in veel opzichten sterk in het voordeel vergeleken met de lokale bevolking, maar in andere opzichten veel kwetsbaarder en te vergelijken met een inheemse baby, die ook nog geen weerstand heeft opgebouwd tegen allerlei ziekten. Zonder overvoorzichtig te zijn, moet u daarom in de tropen en subtropen toch iets bewuster zelf aan allerlei dingen denken dan in West-Europa, waar meer over onze gezondheid gewaakt wordt dan wij ons soms realiseren.

Sommige tropengangers krijgen met deze hygiënische omstandigheden meer te maken dan andere. Ruwweg kunnen we tropengangers indelen in drie groepen:

Reizigers: vakantiegangers en zakenlieden die voor enkele dagen of weken naar de tropen gaan. Hun reis is goed georganiseerd, zij eten, drinken en slapen meestal in de betere restaurants en hotels of bij familieleden.

Trekkers: diegenen die liftend en per openbaar vervoer maandenlang rondreizen met weinig geld en soms zonder duidelijk reisschema. Zij logeren vaak in goedkope gelegenheden en bij onderweg opgedane kennissen.

Expatriates: deskundigen, diplomaten, ontwikkelingswerkers, wetenschappers, militairen, zakenlieden en hun partners en gezinnen, die gedurende maanden of jaren op dezelfde plaats blijven en zich daar gedurende die tijd zoveel mogelijk 'thuis' moeten trachten te voelen.

Natuurlijk zijn er ook binnen deze groepen grote verschillen. De ene 'reiziger' bezoekt een congres of een zakenrelatie en komt nauwelijks buiten zijn vergaderzaal en hotel. De andere wil in korte tijd zoveel mogelijk van het betreffende land zien. De een werkt en woont in betrekkelijk comfortabele omstandigheden in de stad; de ander leeft in een eenvoudige dorpswoning zonder stromend water of elektriciteit.

In de tekst van dit boek kon niet altijd een onderscheid tussen deze groepen gemaakt worden. Wel is er in hoofdstuk 1 (Voorbereiding) een aparte paragraaf 'Een lang verblijf in de tropen'. Hierin komen problemen aan bod die zich specifiek in die situatie voor kunnen doen.

Hoe blijf ik gezond in de tropen is ingedeeld in tien hoofdstukken. Hoofdstuk 1 bereidt u voor op de reis en geeft informatie over wat te doen vóór vertrek. Hoofdstuk 2 geeft aan met welke problemen en moeilijkheden u te maken kunt krijgen in de eerste weken na aankomst in een tropenland. Er is aandacht voor de twee meest voorkomende ziekteverschijnselen: koorts en diarree. Vanaf hoofdstuk 3 wordt ingegaan op de verschillende ziekten die u kunt oplopen. De volgorde waarin een ziekte beschreven wordt is steeds dezelfde:

1. Over wat voor ziekte hebben we het en waar komt ze voor.

2. Wat kunnen we doen om te vermijden dat we de ziekte krijgen (preventie).

3. Welke symptomen heeft de ziekte.

4. Hoe moet ze behandeld worden.

Hoofdstuk 10 behandelt de klachten na terugkeer. De bijlage bevat een overzicht van belangrijke informatiepunten en vaccinatiebureaus.

HOOFDSTUK I

Voorbereiding op de reis

In principe is iedereen die zich gezond voelt, medisch geschikt voor een reis naar of verblijf in de tropen, ook al zal de een er beter tegen kunnen dan de ander.

Wie onder doktersbehandeling is, doet er goed aan zijn plannen tevoren met zijn huisarts of specialist te bespreken. Bepaalde ziekten zoals astma en eczeem kunnen in de tropen verergeren of juist verbeteren. Iemand die regelmatig door een specialist moet worden gecontroleerd of medicijnen gebruikt waarvan de dosering geregeld moet worden aangepast (insuline voor suikerziekte, anti-trombosetherapie), kan beter niet voor lange tijd naar bijvoorbeeld de binnenlanden van Afrika gaan. In veel grote steden in de tropen zijn goede ziekenhuizen, specialisten en andere medische voorzieningen aanwezig, die soms niet onderdoen voor die in Nederland. Wel is men er sneller geneigd om krachtige medicijnen (vooral antibiotica) voor te schrijven, soms zonder diagnose. Dit is in het bijzonder het geval bij artsen in particuliere praktijken. De kwaliteit van de zorg is zeer wisselend; de kosten zijn meestal hoog.

Het is van belang alvorens de reis te beginnen, bij ziekenfonds of ziektekostenverzekering te informeren waar men wel of niet tegen verzekerd is. Een goede reisverzekering en een repatriëringsverzekering zijn geen overbodige luxe. Ook is het verstandig ten minste één maand van tevoren uw gebit te laten controleren en zeg het tegen uw tandarts als u lang weggaat. Hetzelfde geldt zo nodig voor de bril of de contactlenzen: tandartsen en oogartsen zijn in de tropen schaars. Van hulpmiddelen als bril, gehoorapparaat en dergelijke kan men het beste een reserve-exemplaar meenemen. Verder is het nuttig om te weten welke bloedgroep men heeft, voor het geval men in de tropen een beroep zou moeten doen op een (betrouwbare) donor uit eigen kennissenkring, of een ander bloed nodig zou hebben.

Soms eist een uitzendende organisatie of firma een speciale tropenkeuring, omdat men niet het risico wil lopen dat de kandidaat-tropenganger in de tropen niet goed zal kunnen functioneren. Een dergelijke keuring kan in principe door elke arts worden verricht. In geval van twijfel kan deze altijd advies vragen aan een tropendeskundige.

Noteer voor vertrek de telefoonnummers en adressen van de Nederlandse ambassades en consulaten die voor u relevant zijn. Daar kunt u terecht bij ernstige problemen.

KLEDING

Speciale tropenkleding bestaat niet. Er is tegenwoordig lichte, luchtige kleding verkrijgbaar, die beschermt tegen (overmatige) zonnestralen en vocht absorbeert en afvoert. Ze is gemakkelijk wasbaar en droogt snel. Deze kleding is verkrijgbaar bij de betere sportzaak. Maar u kunt ook gewone, zomerkleding meenemen, liefst van katoen of linnen. De vezels van deze stoffen nemen veel transpiratievocht op waardoor het zweet makkelijker verdampt en dus niet op de huid blijft zitten. Draag geen kleding van uitsluitend kunstvezel, zoals nylon. Deze stoffen kunnen het ontstaan van huidziekten bevorderen (zie blz. 90 prickly heat). Denk er ook aan dat lichte kleding veel zonnestralen weerkaatst en donkere kleding zonnestralen juist absorbeert.

Als u een blouse of een hemd draagt, is het verstandig hier een singlet of een T-shirt onder te dragen. Zo'n hemd neemt veel vocht op waardoor nare transpiratieplekken enigszins te voorkomen zijn.

Probeer rekening te houden met lokale gevoeligheden ten aanzien van kleding en vermijd onnodige provocaties. Een trui of een regenjas en paraplu kunt u wel eens hard nodig hebben. Het weer is in de tropen niet altijd even stralend als de folders van de reisbureaus doen vóórkomen. Goed schoeisel, aangepast aan wat men denkt te gaan doen en aan te verwachten hygiënische omstandigheden, kan veel narigheid voorkomen (zie ook blz. 84 en 86, mijnwormen en strongyloides, en blz. 88, huidziekten).

EEN LANG VERBLIJF IN DE TROPEN

Wie voor langere tijd op reis gaat of voor langere tijd in het buitenland gaat wonen, zal zich op een andere manier voorbereiden dan iemand die een korte reis naar de tropen maakt. Het is belangrijk om het land en de mensen die wonen op de plek waar u zich tijdelijk vestigt, goed te leren begrijpen. Wie zich isoleert van de plaatselijke bevolking, door zich alleen te bewegen onder Europeanen en in clubs van welgestelden, mist veel en zal zich niet thuis voelen.

De man of vrouw die zich onophoudelijk ergert aan in-heemse medewerkers, de huisvrouw die uit angst haar be-diende naar de markt stuurt in plaats van er zelf heen te gaan, doen hun geestelijke gezondheid en daarmee indirect ook hun lichamelijk welzijn te kort. Europese kinderen die angstvallig worden thuis gehouden en geen kans krijgen om Afrikaanse of Aziatische vriendjes op te doen, missen een prachtige kans op meer levenservaring.

Ook zal er meer rekening moeten worden gehouden met het andere klimaat. Wie voor langere tijd naar de tropen gaat, zal merken dat het enkele maanden kan duren voordat men aan het andere klimaat gewend is geraakt. Enkele simpele adviezen kunnen misschien nuttig zijn:

• Vroeg opstaan is in de tropen een goede gewoonte: ook in de warmste landen is de ochtendtemperatuur vaak heel plezierig. Neem, wanneer dat mogelijk is, op het heetst van de dag enkele uren rust (siësta), zoals ook de plaatselijke bevolking meestal gewend is te doen.

• Zorg voor voldoende slaap en lichaamsbeweging, vooral wanneer men zittend werk heeft. Naast wandelen en fietsen kan men in de tropen ook allerlei sporten beoefenen, bij voorkeur 's morgens vroeg of laat in de middag.

• Eet niet te veel en niet te vet en wees matig met alcohol.

• Tenslotte: gebruik ventilatoren en airconditioning met verstand en met mate. Overmatig gebruik bemoeilijkt het acclimatiseren.

Ook de voedingsgewoonten moet men in de tropen aanpassen. Voedsel van thuis is vaak niet te krijgen of erg duur, terwijl het bijna overal mogelijk is met lokale producten een goed, gevarieerd, smakelijk en goedkoop menu samen te stellen. Yam en cassave moet men leren waarderen en wanneer het aanbod van groenten wat eenzijdig is, kan vaak in eigen tuin van alles worden gekweekt.

Europeanen die hun gezond verstand gebruiken, raken in de tropen nooit ondervoed. Indien u voldoende groenten en fruit eet en regelmatig een ei, wat vlees of vis, dan zult u vrijwel nooit extra vitamines behoeven te slikken. Waar het hele jaar volop zon is, hebben baby's nauwelijks behoefte aan extra vitamine D.

Verveling is de oorzaak van talloze mislukte tropenuitzendingen. In het begin is alles nieuw, uitdagend en romantisch, maar na enige tijd ontstaat een zekere sleur. Radio en televisie leveren weinig boeiends en de uitgaansmogelijkheden blijken erg beperkt. Het is vroeg donker, de avonden zijn lang. Vooral de partner of *dependant* zal behoefte hebben aan zinnige hobby's, want bijbaantjes (betaald of onbetaald) zijn voor weinigen weggelegd. Zorg dat er genoeg boeken, muziek, speelkaarten en spelletjes mee op reis zijn gegaan. Een eigen groentetuin is niet alleen ontspannend maar ook nuttig. Interesse in de natuur en een verrekijker kunnen veel interessants bieden.

Wanneer kinderen voor langere of kortere tijd mee naar de tropen gaan, is het aan te raden het boekje *Met kinderen naar de tropen* aan te schaffen.

VACCINATIES EN MALARIA-PROFYLAXE

Wanneer er geen medische bezwaren zijn tegen een tropenverblijf en de plannen vastliggen, moet u op tijd denken aan vaccinaties en malariabescherming (profylaxe). Informeer minstens vier tot zes weken vóór de reis bij huisarts of GGD. Een termijn van ten minste vier weken is noodzakelijk omdat sommige vaccinaties uit twee injecties bestaan die met tussenpozen van enkele weken worden toegediend. De informatie die reisorganisaties over vaccinaties geven is vaak beperkt en nogal eens verouderd.

Malaria

Tegen deze ziekte bestaat geen vaccin. Wel wordt in veel gebieden het toepassen van malariaprofylaxe zeer dringend aangeraden. Er bestaat een ernstige vorm van malaria,

'malaria tropica' en twee minder ernstige vormen, 'malaria tertiana' en 'malaria quartana'. Indien op tijd vastgesteld, kunnen alledrie de vormen goed behandeld worden.
Zie het hoofdstuk Malaria blz. 42.

Aanbevolen vaccinaties voor volwassenen

Het bijgaande schema geeft algemene richtlijnen voor de meeste vaccinaties. Slechts één vaccinatie kan voor een reis naar de tropen verplicht zijn: gele koorts; cholera kan ten onrechte nog wel gevraagd worden. Vaccinaties die voor geen enkel land verplicht zijn, maar die meestal worden aangeraden zijn die tegen DTP/DKTP en gammaglobuline tegen hepatitis A. Verder is in de meeste gevallen preventie tegen malaria nodig. Het is aan te raden voor de reis individueel advies te vragen over de toe te dienen vaccinaties. Verschillende vaccinaties kunnen gelijktijdig gegeven worden.
In de bijlage achterin dit boekje (blz. 116) is een adressenlijst opgenomen met verschillende instanties waar u informatie over vaccinaties kunt verkrijgen.

Toelichting bij het schema (blz. 16-17)

Buiktyfus

Men kan zich tegen buiktyfus laten vaccineren. Er bestaat een slikvaccin (capsules) en een prikvaccin. Vaccinatie bij kinderen jonger dan twee jaar wordt niet aangeraden omdat buiktyfus bij kleine kinderen weinig voorkomt. De bescherming van de vaccinatie is niet volledig; deze duurt drie jaar. Zie ook blz. 69.

Schema vaccinaties

Ziekte	Oost-Europa	Afrika* (inclusief Noord-Afrika)	Midden- en Zuid-Amerika
Buiktyfus	-	-	(+)
Cholera	-	-	-
DTP	+	+	+
Gele koorts	-	+	+
Hepatitis A	+	+	+
Hepatitis B	(+)	(+)	(+)
Japanse encefalitis	-	-	-
Tuberculose	(+)	(+)	(+)

-   Niet aangeraden
+   Vaccinatie aangeraden, zie beschrijving
*   Noord-Afrika: geen gele koorts

Cholera

Vrijwel geen enkel land eist officieel nog een choleravaccinatie, maar toch kan er, vooral aan Afrikaanse grenzen, nog wel eens naar gevraagd worden. Tegenwoordig wordt daarom soms een vaccinatiestempel verstrekt. De vaccinatie zelf wordt maar zeer zelden gegeven. De Wereldgezondheidsorganisatie (WHO) streeft al meer dan vijftien jaar naar afschaffing ervan! De vaccinatie is officieel zes maanden geldig vanaf de zesde dag na de injectie. Zie ook blz. 70.

Difterie/kinkhoest/tetanus/polio (DKTP)

De meeste baby's in Nederland krijgen deze vaccinatie toegediend op de leeftijd van 3, 4, 5 en 11 maanden. Als 4- en 9-jarigen krijgen zij nog een booster DTP (difterie/teta-

Cariben	Azië (inclusief Midden-Oosten)	Oceanië (zonder Australië en Nw-Zeeland)
-	(+)	-
-	-	-
+	+	+
-	-	-
+	+	+
(+)	(+)	(+)
-	(+)	-
(+)	(+)	(+)

(+) Soms aanbevolen, afhankelijk van leeftijd, reisduur, reisbestemming, werk, contact met de bevolking

nus/polio). Het wordt iedereen aangeraden zich goed te laten vaccineren. Wanneer men naar de tropen gaat en de laatste DTP-prik is 15 jaar of langer geleden, wordt een herhalingsinjectie aanbevolen.

Gele koorts

Voor veel landen is een vaccinatiebewijs voor gele koorts verplicht. Maar ook wanneer dat niet geëist wordt, dient u zich voor uw eigen veiligheid te laten inenten wanneer u naar een gebied gaat waar deze ziekte voorkomt (tropisch Afrika en Zuid-Amerika; in Azië komt gele koorts niet voor). De vaccinatie, die alleen in bepaalde centra kan worden verricht, bestaat uit één injectie en is 10 jaar geldig vanaf de tiende dag na inenting. Zie ook blz. 95.

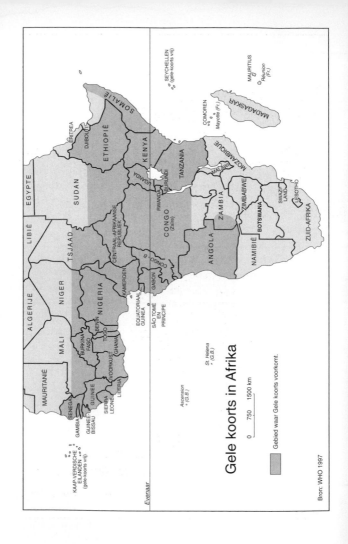

Gele koorts in Afrika

0   750   1500 km

Gebied waar Gele koorts voorkomt.

Bron: WHO 1997

VOORBEREIDING OP DE REIS

COSTA RICA

PANAMA

VENEZUELA

GUYANA

SURINAME

FR. GUYANA

COLOMBIA

Evenaar

ECUADOR

AMAZONE-

REGENWOUD

BRAZILIË

PERU

BOLIVIA

PARAGUAY

CHILI

URUGUAY

ARGENTINIË

Falkland-
eilanden

Gele koorts in
Zuid-Amerika

0   750   1500 km

Bron: WHO 1997

Hepatitis A (geelzucht)

Iedereen die naar de tropen en Oost-Europa gaat, wordt ter voorkoming van hepatitis A aangeraden een injectie gammaglobuline te nemen of zich te laten vaccineren. Met een injectie gammaglobuline krijgt u antistoffen tegen het virus toegediend (een passief proces); door een vaccinatie gaat u zelf antistoffen produceren, een actief proces.

Gammaglobuline werkt maar kort: 2 ml geeft 2-3 maanden bescherming, 4 of 5 ml (afhankelijk van het fabrikaat) 6 maanden. Wie langer wegblijft, kan proberen ter plaatse een herhalingsprik te halen, maar dat is lang niet overal mogelijk.

Ook vaccinatie is mogelijk: na 1 injectie bestaat vrijwel honderd procent bescherming gedurende 1 jaar. Als 6 tot 12 maanden na de eerste injectie een tweede injectie wordt gegeven duurt de bescherming waarschijnlijk 10 jaar.

Het vaccin is duur. Voor mensen die vaak reizen of lang op reis gaan komt deze vaccinatie in aanmerking. Voor een eenmalige, korte reis kan men kiezen voor gammaglobuline.

Voor kinderen tot circa 12 jaar is geelzucht een zo onschuldige ziekte dat zij meestal geen gammaglobuline krijgen. Hoe jonger men de ziekte krijgt, des te minder ziek men ervan wordt. Besmette kinderen kunnen een bron van verspreiding zijn na terugkeer in Nederland. Vandaar dat om redenen van 'volksgezondheid' wel wordt gepleit voor vaccinatie van kinderen, vooral allochtone kinderen.

Vooral wat oudere mensen hebben, vaak heel jong, hepatitis A gehad zonder zich daarvan bewust te zijn. Wie regelmatig of voor langere tijd naar de tropen gaat en dus steeds opnieuw gammaglobuline zou moeten ontvangen of zich zou willen laten vaccineren, kan zijn bloed laten onderzoeken op hepatitis A-antistoffen. Blijken die aanwezig te zijn, dan heeft men de ziekte kennelijk al gehad en is men levenslang beschermd. Gammaglobuline of vaccinatie zijn dan niet nodig. Zie ook blz. 71

Hepatitis B (serumhepatitis)

Tegen deze vorm van geelzucht bestaat een vaccin dat alleen gegeven wordt aan bepaalde groepen met verhoogd risico: artsen en verpleegkundigen, mensen met veel wisselende seksuele contacten. Voorts aan personen die langer dan 6 maanden verblijven in een gebied waar veel hepatitis B voorkomt (tropisch Afrika, Verre Oosten), als zij onder primitieve omstandigheden zullen leven, in nauw contact met de plaatselijke bevolking.

De vaccinatie bestaat uit drie injecties, met tussentijden van 1 en 5 maanden. Zie ook blz. 96.

Japanse encefalitis

Deze vaccinatie kan overwogen worden bij mensen die voor hun beroep tijdens het seizoen waarin de ziekte wordt overgebracht één maand of langer op het platteland van India tot Japan zullen verblijven in gebieden waar de ziekte voorkomt. Denk bijvoorbeeld aan biologen, landbouwdeskundigen en antropologen. Ook *expatriates* die langer dan 6 maanden in een gebied zullen verblijven waar de ziekte zich voordoet, kunnen vaccinatie overwegen. Zwangeren worden in principe niet gevaccineerd. Het risico deze ziekte op te lopen is buitengewoon klein.

Tuberculose

BCG, de vaccinatie tegen tuberculose, wordt aangeraden aan iedereen die voor langer dan zes maanden naar de tropen of Oost-Europa gaat en daar in nauw contact zal komen met de plaatselijke bevolking, bij wie TBC nog veel voorkomt. Eerst wordt een huidtest, de Mantoux-reactie, gedaan om te kijken of men ooit een tuberculose-infectie heeft doorgemaakt (meestal zonder dat men daar iets van heeft gemerkt). Alleen bij negatieve Mantoux-uitslag wordt BCG gegeven. Omdat deze procedure tamelijk ingewikkeld is en tijd kost, komt het er vaak niet van. Gelukkig is de kans op een tuberculose-infectie erg klein. Het verdient echter aanbeveling om kinderen in ieder geval wel voor een langer verblijf in de tropen een BCG te geven. Baby's kunnen al direct na de geboorte BCG krijgen.

Andere vaccinaties

Hondsdolheid (rabiës)
Rabiësvaccinatie vóór vertrek naar de tropen wordt alleen aangeraden aan mensen die groot risico lopen, zoals dierenartsen en biologen die met (zieke) dieren werken. Dat geldt ook voor mensen die langere tijd in gebieden verblijven waar rabiës veel voorkomt en waar medische hulp zeer ver weg of slecht is. Het vaccin is erg duur.
Als men voor vertrek gevaccineerd wordt, krijgt men 3 injecties met 1 respectievelijk 2 weken tussentijd en een herhaling om de 2 jaar. Hondsdolheid is een dodelijke ziekte. Wanneer iemand die gevaccineerd is door een verdacht dier wordt gebeten, moet toch nog een aantal extra vaccinaties gegeven worden. Wie niet tevoren werd gevaccineerd, moet meer injecties krijgen en ook extra immuunglobulines. Zie ook blz. 97.

Meningitis

Tegen de vorm van meningitis of nekkramp die in epidemieën optreedt, kan men gevaccineerd worden. Toeristen hebben slechts een zeer kleine kans op infectie. Een injectie geeft twee tot drie jaar bescherming tegen deze vorm van nekkramp; dus niet tegen andere vormen. Raadpleeg hiervoor uw huisarts of GGD.

De vaccinatie is soms verplicht voor reizigers naar Saudi-Arabië. Mekka-gangers en seizoenarbeiders moeten een geldig vaccinatiebewijs bezitten.

Teken-encefalitis

Deze infectieziekte, verspreid door besmette teken, doet zich sporadisch voor in bosrijke gebieden in Oostenrijk, Zuid-Duitsland en verder in Oost-Europa. Wanneer men zich voor alle zekerheid wil laten beschermen, wordt geadviseerd zich bij aankomst op de plaats van bestemming te laten immuniseren of informatie in te winnen bij de GGD.

Bof/mazelen/rodehond (BMR)

Vanaf 1976 worden kinderen in Nederland rond de 14e maand en in het 9e levensjaar ingeënt tegen mazelen, bof en rodehond (BMR). Waarschijnlijk is de beschermingsduur van deze vaccinatie levenslang. Bij zwangeren wordt deze vaccinatie niet aangeraden. Kinderen jonger dan 14 maanden die naar de tropen gaan, dienen rond de 8e maand (eventueel vanaf de 6e maand) gevaccineerd te worden, met herhaling in de 14e maand.

Bijzondere groepen

Kinderen

Kinderen onder het jaar krijgen meestal geen gele koorts- en buiktyfus-vaccinatie, kinderen tot 12 jaar krijgen meestal geen gammaglobuline tegen hepatitis A toegediend. Baby's krijgen in Nederland meestal een vaccinatie tegen DKTP toegediend. Het wordt aanbevolen om baby's en kinderen die voor langere tijd meegaan naar de tropen een vaccinatie tegen tuberculose te geven. Zie ook boven: Bof/mazelen/ rodehond (BMR).

Zwangeren

Zwangeren doen er goed aan zich voor de reis te laten informeren over de toe te dienen vaccinaties. In principe mogen zij alle vaccinaties hebben behalve die tegen gele koorts, rodehond en hondsdolheid. Ook tegen buiktyfus wordt meestal niet gevaccineerd; de buiktyfus-capsules (het orale vaccin) mogen *niet* genomen worden.

Worden deze vaccinaties toch toegediend, dan hoeft dit niet gelijk reden te zijn om de zwangerschap te onderbreken. In principe wordt tijdens de zwangerschap de vaccinatie tegen Japanse encefalitis niet toegediend.

Zwangere vrouwen krijgen sneller ernstige malaria dan niet-zwangeren en malaria kan problemen geven tijdens de zwangerschap (abortus, vroeggeboorte). *Zwangeren en zij die tijdens een verblijf in de tropen zwanger willen worden, wordt dringend aangeraden een deskundig advies te zoeken.*

Mensen met verminderde weerstand

De weerstand van iemand kan door een aantal oorzaken verminderd zijn: door ziekte en hun behandeling, bijvoor-

beeld kanker of lymfoom en chemotherapie, door predni-
son-gebruik (of andere medicijnen), door HIV-infectie
en andere. *Overleg met de behandelend arts en met deskundigen op het gebied van reizigersziekten wordt sterk aangeraden.*
Mensen die een maagoperatie hebben ondergaan of die
medicijnen gebruiken die de maagzuurproductie onder-
drukken (Tagamet®, Zantac®, Losec®, en andere) hebben
meer kans buiktyfus of bacteriële diarree-ziekten te krijgen.
Extra voorzorgsmaatregelen ter voorkoming van diarree
zijn nodig, eventueel gebruik van een antibioticum. Overleg met huisarts, GGD of reizigersadviescentrum.

Mensen zonder milt

Mensen zonder milt hebben grotere kans bepaalde infectieziekten op te lopen en deze ziekten kunnen bij hen ernstiger verlopen. Het risico is deels afhankelijk van de oorzaak
van de miltverwijdering. Afhankelijk van het feit of zij
reeds werden gevaccineerd tegen *H. influenzae,* pneumo-
kokken en meningokokken, en van de tijd sinds die vaccinatie, dienen deze vaccinaties te worden aangeraden. Antibiotica en goede instructies over gebruik moeten worden
gegeven. Ook malaria is een speciaal risico bij deze groep.
Goede profylaxe en eventueel vroegtijdig behandelen zijn
nodig. *Overleg met GGD of reizigersadviescentrum.*

HUISAPOTHEEK

Hoeveel en welke medicijnen men moet meenemen voor
onderweg of voor de huisapotheek, hangt uiteraard af van
vele factoren: de aard en duur van reis of verblijf, de be-
schikbaarheid ter plaatse van medische hulp en hulpmiddelen, en ten slotte eigen smaak en voorkeur.

• Middelen tegen malaria en diarree (zie respectievelijk blz. 45 en blz. 38 en 65).

• Jodium (of Betadine-jodium) en aspirine of paracetamol, wat pleisters en verbandmiddelen, een koortsthermometer en een splinterpincet zou men ook al meenemen wanneer men in Frankrijk ging kamperen. Wanneer men voor langere tijd weggaat of 'primitief' gaat reizen, zijn de volgende middelen het overwegen waard:

• Betadine-zalf; een goed middel bij geïnfecteerde wondjes.

• Azaron®-, of Phenergan-crème tegen jeuk; niet te vaak en niet te lang gebruiken; kan overgevoeligheid veroorzaken.

• Autan®-stift of -lotion of 'muggenmelk', als afweermiddelen tegen muggen. Aanbrengen op blote lichaamsdelen, maar niet in de buurt van ogen en mond. Werkt maar enkele uren en moet dus regelmatig worden bijgesmeerd.

• Een zalf of liever poeder tegen schimmelinfecties tussen de tenen en in de liezen, bijvoorbeeld Decylon-, Focusan of Daktarin-zalf of Daktarin-poeder.

• Hadex-druppels, waterdesinfectans of een ander middel of andere methode (filterpomp) voor waterzuivering. Gebruiken volgens voorschrift wanneer water koken ondoenlijk is.

• Talkpoeder of calamine-lotion tegen prickly heat. Na het baden in liezen, oksels en tussen de tenen aanbrengen.

• Tetracycline- of chlooramfenicol-oogzalf tegen etterige ontsteking van oogslijmvlies; ook geschikt voor geïnfecteerde huidwonden.

• Er zijn diverse lippenstiften met UV-filter op de markt.

• Neusdruppels tegen verstopte neus bij vliegreizen.

• Het klinkt wat merkwaardig maar Dulcolax, een middel tegen verstopping, blijkt vaak ook nuttig. Door het andere voedsel, door andere lichaamsbeweging, te weinig vocht, krijgen veel reizigers last van verstopping. Het beste is uiteraard goed, gevarieerd voedsel (fruit), voldoende vocht en lichaamsbeweging.

• Vrouwen doen er goed aan een voorraad menstruatieverband en dergelijke mee te nemen. Vaak zijn deze in tropische landen onbekend of erg moeilijk te verkrijgen.

• Anticonceptiemiddelen. Neem voldoende mee van de anticonceptiemiddelen die u gebruikt. Deze zijn in de tropen niet altijd makkelijk te krijgen. De kwaliteit laat bovendien soms te wensen over. Condooms zijn bijvoorbeeld bij hoge temteratuur niet onbeperkt houdbaar en kunnen poreus worden. Hetzelfde geldt voor pessaria.

• Of het nuttig is om wat steriele 2 ml en 5 ml injectiespuiten met naalden (altijd twee keer zoveel naalden als spuiten) mee te nemen en plastic wegwerphandschoenen, is eveneens afhankelijk van uw reisdoel of verblijfplaats. Overleg een en ander met uw huisarts of met de GGD.

Antibioticum

Op primitieve reizen en afgelegen posten kan het nuttig zijn voor noodgevallen een breed spectrum antibioticum bij de hand te hebben, bijvoorbeeld doxycycline capsules van 100 mg en/of cotrimoxazol (een merknaam is Bactrimel® maar er zijn vele andere preparaten) en/of ciprofloxacin (twee van deze drie genoemde middelen zijn voldoende). Men kan die gebruiken bij hoge koorts die niet reageert op antimalariamiddelen, bij bacillaire dysenterie en bij ernstige luchtweg- en huidinfecties.

DOSERING

Doxycycline: eerste dag 2 capsules, daarna dagelijks 1 capsule 1 x maal daags gedurende 5 à 7 dagen. **Cotrimoxazol:** twee tabletten (of één forte tablet) 2 x daags, eveneens 5 tot 7 dagen. **Cipro-floxacin:** 2 x daags 1 capsule à 500 mg gedurende 5 dagen.

Geneesmiddelen op recept

Geneesmiddelen die in Nederland alleen op recept ver-krijgbaar zijn, zijn ginds vaak overal op de markt en in win-keltjes te koop. Let op de 'vervaldatum' (= *expiry date*), dat wil zeggen de datum tot welke de fabrikant garandeert dat ze werkzaam blijven. Vaak blijkt die allang verlopen te zijn. Mensen die regelmatig bepaalde medicijnen moeten ge-bruiken, zullen een voorraad moeten meenemen. Gaat het om injecties (bijvoorbeeld insuline) vraag dan aan uw arts om een in het Engels opgestelde verklaring dat het medi-cijn voor eigen gebruik is bestemd. Dat kan voorkomen dat er moeilijkheden ontstaan bij de douane.

Een raadgeving tot slot: als u tijdens uw verblijf in de tropen medicijnen geslikt heeft, *bewaar dan de verpakking en het recept*. Mochten er in Nederland nog problemen zijn, dan kunt u dat laten zien. Dat kan veel verwarring en onze-kerheid voorkomen en maakt het voor een arts in Neder-land makkelijker te bepalen wat er aan de hand geweest kan zijn.

EHBO

Als u met een kleine groep of alleen met een partner gaat reizen, kan het verstandig zijn een EHBO-cursus te volgen. In afgelegen gebieden in de tropen is medische hulp niet altijd snel ter plekke. Op een EHBO-cursus leert u onder andere wat u moet doen bij ademhalingsstilstand, bij licha-melijk letsel en hoe u een gewond persoon het beste ver-voert.

Er zijn meer dan duizend EHBO-verenigingen in ons land. Het Oranje Kruis in Den Haag kan u informeren over de dichtst bijzijnde EHBO-vereniging in uw omgeving (voor adres, zie bijlage.)

HOOFDSTUK 2

Na aankomst

AANPASSING

Wie per vliegtuig naar de tropen reist en zodoende binnen enkele uren in een totaal ander klimaat terechtkomt, zal merken dat het enige tijd duurt voordat gewenning optreedt, zeker als u in de Europese winter bent vertrokken. Wanneer u in Lagos of Jakarta uit het vliegtuig stapt, kan het lijken of u in een sauna verzeild bent geraakt. Wie naar het westen of oosten is gevlogen, krijgt te maken met een tijdverschil, waardoor het slaapritme, het gevoel van honger en de stoelgang enkele dagen in de war kunnen zijn *(jetlag)*. Na aankomst in een hooggelegen gebied zal men de eerste tijd snel buiten adem zijn, doordat de lucht minder zuurstof bevat. Sommige mensen krijgen ook last van hevige hoofdpijn. Het duurt enkele weken voordat het lichaam zich door de aanmaak van extra rode bloedlichaampjes volledig heeft aangepast. Kortom: we moeten acclimatiseren.

Veel mensen gunnen zich daarvoor te weinig tijd. De zakenman wil onmiddellijk zakendoen, de toerist wil meteen van alles gaan zien en de ontwikkelingswerker wil graag direct aan de slag. Wie echter te hard van stapel loopt, neemt onnodige risico's voor zijn gezondheid en geniet veel minder.

Een zakenman of toerist die maar enkele dagen of weken in de tropen is, zal in die korte tijd niet volledig geacclimatiseerd raken. Vaak zal dat niet zo'n probleem zijn: de hotels zijn dikwijls airconditioned en reisprogramma's zijn zo samengesteld dat er voldoende tijd voor rust is.

ZON

Ons lichaam is er niet aan gewend dat de zon er dagelijks en vele uren per dag op schijnt. Langdurige blootstelling aan de zon betekent een verhoogd risico op huidkanker. Wie in de tropen bruin wil worden, doet er goed aan heel voorzichtig te beginnen en de eerste dag niet langer dan een kwartier in de zon te gaan liggen. Geleidelijk kan die tijd worden opgevoerd. 's Morgens vroeg en in de late middaguren kan zonnen weinig kwaad. Op het heetst van de dag kan men beter in de schaduw blijven. In de zon kan zonnebrandolie of crème met een hoge factor een redelijke bescherming tegen verbranden bieden. Let vooral op neuspunt, oren en lippen. Moet u lang in de zon lopen, draag dan een hoed of een pet en een T-shirt ter bescherming. Ook bij het snorkelen is het zeer aan te raden een T-shirt te dragen en de nek extra te beschermen met een hoge factor. Wees er op verdacht dat indien het middel doxycycline als preventief middel tegen malaria wordt gebruikt, de kans op verbranden groter is en dus een hogere factor, bijvoorbeeld 20 of meer, geboden is (zie blz. 49). Bepaalde antimuggenmiddelen met de substantie 'DEET' verminderen de beschermende werking van zonnebrandolies. U kunt beter eerst de 'insectrepellant' en dan pas zonnecrème opbrengen. Informeer bij apotheek of huisarts of deze middelen gecombineerd te gebruiken zijn.

TEMPERATUUR EN VOCHTIGHEID

In het menselijk lichaam spelen zich vele chemische processen af. Daarbij wordt warmte geproduceerd die wij voor een deel gebruiken om onze lichaamstemperatuur op 37°C te houden. De rest geven we af aan de omgeving.

Is de buitentemperatuur laag, dan is het de kunst om voldoende warmte te produceren (door extra activiteit, door rillen en klappertanden) en vast te houden (onder andere door extra kleding), zodat we niet te veel afkoelen.

Hoe warmer de omgeving, des te moeilijker wordt het om het teveel aan warmte kwijt te raken. Bij een temperatuur die hoger is dan 37°C kan het lichaam geen warmte meer aan de omgeving afgeven door uitstraling. Gelukkig beschikt het lichaam nog over een ander mechanisme om overtollige warmte kwijt te raken: transpiratie. Wanneer wij transpireren verdampt het zweet op de huid en daarbij koelt de huid (en dus ook het lichaam in zijn geheel) af.

Hoe meer beweging in de lucht zit (ventilatie, wind), des te sneller de verdamping en des te groter de afkoeling. Ook de vochtigheidsgraad van de omgeving is belangrijk: hoe vochtiger de lucht, des te moeilijker de verdamping van het zweet. In een warm en vochtig klimaat voelt men zich constant 'bezweet'. Is de buitenlucht echter droog en staat er veel wind, dan verdampt het zweet zo snel, dat de huid droog blijft en men niet eens merkt dat men transpireert, terwijl het lichaam toch veel vocht kwijtraakt. Ook kleding speelt een belangrijke rol bij de verdamping van zweet (zie blz. 11).

Uitdroging en zoutverlies

Door veel transpireren, merkbaar of onmerkbaar, kan het lichaam uitdrogen. Als men ook nog een op zich misschien niet eens ernstige diarree heeft, treedt de uitdroging nog sneller op. Ons dorstgevoel is niet altijd een betrouwbare graadmeter. Let daarom op of u voldoende urineert. Wie te weinig plast moet meer drinken. De urineproductie moet minstens één liter, liever twee liter per 24 uur zijn. Vooral voor baby's en kleine kinderen kan uitdroging gevaarlijk zijn, maar ook voor volwassenen. Blaas- en nierstenen komen in de tropen vaak voor bij mensen die te weinig drinken, doordat de urine dan te sterk geconcentreerd wordt.

Bij transpireren verliest men niet alleen water, maar ook zout. Door verlies van te grote hoeveelheden zout kunnen klachten ontstaan als moeheid, misselijkheid, duizeligheid en spierkrampen. De meeste mensen eten meer zout dan goed voor hen is, maar in de tropen is een ruime hoeveelheid zout soms aan te bevelen. Het innemen van zouttabletten is alleen nodig onder extreme omstandigheden zoals bij zware lichamelijke arbeid of sport. In dergelijke situaties kan zoveel zout worden verloren dat alleen extra zout in het voedsel onvoldoende is en zouttabletten nodig zijn.

Kleine kinderen en vooral baby's kunnen hun lichaamstemperatuur moeilijker reguleren en hebben daardoor sneller problemen met grote hitte. Men moet daar vooral aan denken in de middagzon (in een wandelwagentje) en bijvoorbeeld in stilstaande auto's.

VERKEER

Verkeersongelukken veroorzaken méér sterfte onder Europeanen in de tropen dan tropische ziekten. Slechte wegen, onverlichte obstakels op de wegen, slecht onderhoud van auto's, slechte chauffeurs en koeien en geiten die plotseling de weg oversteken, zijn daarvoor vaak verantwoordelijk. Probeer het rijden 's nachts te vermijden. Pas op voor vermoeidheid en alcohol. Enkele eenvoudige maatregelen (zo weinig mogelijk 's avonds en 's nachts rijden, gebruik van een helm (op de motor) en gordels (in de auto), een zitje voor kinderen, geen alcohol) kunnen veel ellende voorkomen.

ZWEMMEN

Bij Europeanen die voor lange tijd naar de tropen gaan, is verdrinking een belangrijke doodsoorzaak. Men verkijkt zich gemakkelijk op stromingen in rivieren en aan het strand. Bovendien is de branding soms ongekend hevig. En misschien gaan veel mensen ook te vaak 'met een glaasje op' zwemmen. (Zie ook blz. 77 voor bilharzia-gevaar.)

HYGIËNE

De hygiënische omstandigheden in tropische landen zijn vaak anders dan wij gewend zijn. Vooral op het platteland zal men het vaak zonder voorzieningen zoals stromend water en toiletten moeten stellen. Door goed te letten op persoonlijke hygiëne is een aantal ziekten zoals darminfecties, wormen en huidziekten nogal eens te voorkomen.

Voedsel en drinkwater

Darminfecties worden veelal veroorzaakt door fecaal verontreinigd voedsel en drinkwater (zie hoofdstuk 4, blz. 62). Een aantal adviezen voor gezond eten en drinken:

• Was uw handen goed na gebruik van het toilet, vóór het koken en vóór het eten om besmetting te voorkomen.

• Zorg dat voedsel en drinkwater beschermd zijn tegen vliegen.

• Drink water of koolzuurhoudende dranken alleen uit een fles waarvan de sluiting nog goed is.

• Was groenten en fruit in betrouwbaar water of, indien dit niet voorradig is, in gekookt water. Schil fruit.

• Als u er niet zeker van bent dat het water geschikt is om te drinken, kook het dan.

• Als u etensresten bewaart, doe dit dan in een koelkast maar niet langer dan één dag.

• Wees zorgvuldig met vlees en vis (goed bakken of koken) en vooral met schelpdieren.

• IJsblokjes in een eersteklashotel zullen wellicht van 'goed' water gemaakt zijn, in een stalletje langs de straat meestal niet.

Lichaam

Niet alleen hygiënische maatregelen met betrekking tot eten en drinken zijn in de tropen belangrijk, ook ons lichaam heeft extra aandacht nodig. Door een goede huidverzorging is een aantal huidziekten te voorkomen (zie hoofdstuk 6, blz. 88).

• Was uzelf regelmatig met niet te veel zeep, vervolgens goed afdrogen met een schone handdoek. N.B. Een te droge huid geeft jeuk en eczeem; gebruik van badolie kan nuttig zijn.

• Draag geen knellende kleding.
• Gebruik van talkpoeder of babypoeder tussen vingers, tenen, onder oksels en in de liezen, biedt een redelijke bescherming tegen eczeem en prickly heat (zie blz. 90).
• Verzorg elk wondje om infecties te voorkomen. Ontsmet met jodium en bedek het met een pleister of verbandje.

Natuurlijk moet men niet overdrijven! Maatregelen moeten het plezier van de reis niet bederven. Tanden poetsen met kraanwater kan geen kwaad als u het water weer uitspuugt. Wanneer u bij iemand te gast bent, kunt u moeilijk het aangeboden eten en drinken weigeren omdat u het niet vertrouwt. Als het eten echt onbetrouwbaar is (een rauwe biefstuk), kunt u altijd zeggen vegetarisch te zijn, zich niet goed te voelen, medicijnen te gebruiken of een andere smoes verzinnen. Als u alles wat mogelijk besmet is wilt vermijden, mag u ook geen deurknoppen aanraken, geld aannemen en iemand een hand geven! Ook is het vaak niet mogelijk en aan te raden om meerdere malen per dag een frisse douche te nemen. Water is kostbaar en niet altijd voorradig. Als u toch zulke eisen stelt aan reizen, kunt u beter niet naar de tropen gaan.

ZIEK WORDEN IN DE TROPEN

De meeste ziekten die in West-Europa onze gezondheid bedreigen, zijn niet besmettelijk. In de tropen overheersen ziekten die wel direct of via een omweg, besmettelijk zijn.
Dat ligt niet in de eerste plaats aan het klimaat als zodanig, maar aan de armoede en gebrekkige infrastructuur van de meeste tropenlanden. Cholera- en pestepidemieën, buiktyfus en malaria, dysenterie en lepra kwamen vroeger ook in

onze streken regelmatig voor. Dat deze ziekten hier geheel of vrijwel geheel verdwenen zijn, is vooral te danken aan de verbeterde levensomstandigheden, de aanleg van riolering en waterleiding en aan verbeterde voeding en hygiëne. Kinderverlamming, difterie, kinkhoest en mazelen komen dankzij vaccinatie in Nederland zelden meer voor, in tegenstelling tot de meeste tropenlanden.

Er zijn echter ook ziekten die wel echt tropisch zijn, dat wil zeggen dat men ze alleen in de tropen kan oplopen. Malaria tropica of filariasis kan men alleen krijgen als men gestoken wordt door tropische muggen; slaapziekte wordt alleen overgebracht door de Afrikaanse tseetseevlieg; bilharzia (schistosomiasis) kan men alleen krijgen door contact met water waarin zich bepaalde slakjes bevinden; mijnworm- en strongyloides-larven kunnen alleen gedijen in een tropisch klimaat.

De grote kindersterfte in de tropen is slechts voor een klein gedeelte te wijten aan 'tropische' ziekten. Ze is grotendeels het gevolg van diarree en infecties van de luchtwegen die ernstig verlopen door ondervoeding. Een ondervoed kind met een onschuldige luchtweginfectie kan gemakkelijk een fatale longontsteking krijgen. Veel kinderen in de tropen sterven aan complicaties van mazelen en kinkhoest omdat zij te weinig weerstand hebben. Tuberculose is nog een groot probleem.

Aids is in veel landen een groot en toenemend probleem, ook voor de Europese toerist die seksuele relaties aangaat.

Europeanen die goed gevoed en goed gevaccineerd zijn, die geen ongekookt besmet water binnenkrijgen en die bij ziekte op tijd behandeld kunnen worden, lopen in de tropen zelden méér gevaar dan zij in Nederland zouden doen.

Meest voorkomende klachten

Veel mensen die naar de tropen gaan, krijgen te maken met koorts en diarree. Vaak zijn deze klachten van tijdelijke aard en niet ernstig, maar wel een vervelende onderbreking van de reis.

Koorts

Koorts kan in de tropen, evenals in Nederland, het gevolg zijn van griep of een andere onschuldige virusinfectie, van een keel- of longontsteking, et cetera. Niet iedere koorts in een malariagebied duidt op malaria (zie hoofdstuk 3, blz. 42). Maar wanneer u in een malariagebied woont of geweest bent, moet u bij koorts wel altijd aan de mogelijkheid van malaria denken, ook als u uw pillen volgens voorschrift hebt geslikt.

Koorts met bloed en slijm in de ontlasting is waarschijnlijk bacillaire dysenterie (zie blz. 68). Koorts met huiduitslag kan dengue of tekenkoorts zijn (zie blz. 93 en 98). Bij koorts die wat langer aanhoudt en niet reageert op antimalariamiddelen moet gedacht worden aan buiktyfus of paratyfus (zie blz. 69 en 70). Onregelmatige koorts die wekenlang voortduurt kan veroorzaakt worden door brucellose, slaapziekte of kala azar, al is die kans erg klein (zie respectievelijk blz. 93, blz. 99 en blz. 98).

Diarree

Diarree is in principe een nuttige reactie van het lichaam: stoffen die de darmen zo vlug mogelijk kwijt willen, worden in versneld tempo uitgescheiden. Stopmiddelen werken dit tegen en vertragen daardoor soms de genezing.

Vooral in het begin van hun tropenverblijf hebben veel

NA AANKOMST

mensen enkele dagen diarree. In Mexico noemt de bevolking dat zeer toepasselijk *turista* (toeristenziekte). Deze reizigersdiarree wordt meestal veroorzaakt door vrij onschuldige bacteriën waartegen de plaatselijke bevolking allang afweerstoffen (antistoffen, antilichamen) heeft opgebouwd, maar de nieuwkomer nog niet. Van voedsel of drinkwater waarvan de lokale bevolking niet ziek wordt, kan de reiziger diarree krijgen. Reizigersdiarree gaat na enkele dagen vanzelf over.

Bij diarree is het belangrijk dat men voldoende drinkt om te voorkomen dat men te veel vocht verliest. Voorts kan men in de acute fase (de eerste 24 uur) een 'licht' dieet houden om de darmen niet te overbelasten. Thee (met suiker), gekookte rijst en bouillon zijn goede huismiddeltjes. Als men glucose (druivensuiker) kan krijgen is dat beter dan suiker, vooral voor kinderen; echt noodzakelijk is het niet, zeker niet voor volwassenen. Zodra men weer honger krijgt, moet men weer gaan eten. Melk geeft soms meer last en kan beter enige tijd niet gebruikt worden. Onschuldige geneesmiddelen als Norit zijn van twijfelachtige waarde. Een echt stopmiddel, zoals loperamide (Imodium®, Diacure®) is ongevaarlijk bij een onschuldige diarree en is vooral van nut als men op reis moet. Het moet niet geslikt worden door patiënten met hoge koorts of bacillaire dysenterie (diarree met bloed en slijm in de ontlasting).

Dosering

Imodium®: Beginnen met 2 capsules van 2 mg, vervolgens na elke 'lozing' 1 capsule tot maximaal 6-8 capsules per dag. Langer dan twee dagen slikken heeft geen zin.

Veroorzaakt de diarree veel vochtverlies dan kan het (vooral bij kinderen) nuttig zijn zogenaamde ORS (*oral rehydration solution*) te geven. De bestanddelen van ORS zijn in pakjesvorm in de handel, maar u kunt iets soortgelijks ook zelf maken door 40 gram suiker (8 klontjes) en 3,5 gram keukenzout (een theelepeltje) op te lossen in een liter (gekookt, gefilterd) water en die oplossing beetje bij beetje toe te dienen.

Bij langdurige diarree moet u de ontlasting eens goed bekijken. Is die vettig en brijachtig, dan is het mogelijk een giardiasis-infectie (zie blz. 65). Zit er bloed en slijm bij, dan moet u denken aan amoebendysenterie (zie blz. 66). Is er tevens sprake van hoge koorts dan is een bacillaire dysenterie waarschijnlijker en zijn misschien antibiotica nodig (zie blz. 68).

Behandeling tropische ziekten

Behandeling van vrijwel alle tropische ziekten is goed mogelijk, maar daarvoor is wel een diagnose nodig en dus (bij voorkeur) een arts. Wanneer u rondtrekt in tropische gebieden en ziek wordt, vraag dan waar u betrouwbare medische hulp kunt vinden.

In veel Afrikaanse landen kunt u beter naar een missie- of zendingshospitaal gaan dan naar een regeringsziekenhuis. Op veel plaatsen is men gewend iedere patiënt bij voorkeur te behandelen met injecties, terwijl dat meestal even goed kan met tabletten. Vraag zelf in voorkomende gevallen om pillen of tabletten in plaats van injecties, vooral wanneer u ziet dat de hygiëne ter plekke te wensen overlaat. Heeft u zelf injectiespuiten en -naalden meegebracht, breng dat dan tactisch ter sprake en laat uw hulpverlener niet te veel merken dat u zijn werkwijze niet helemaal vertrouwt.

Gaat u voor langere tijd ergens wonen, probeer dan zo snel mogelijk ter plaatse een goede 'huisarts' te vinden (vaak zal dat een ziekenhuisarts zijn), naar wie u toe kunt gaan wanneer dat nodig is, bij ziekte en bijvoorbeeld voor vaccinaties voor uw kinderen. Vraag haar of hem wat de speciale risico's van het gebied zijn, bijvoorbeeld of er 'bilharziagevaar' is.

Uw huisarts zal misschien tientallen kilometers van u vandaan wonen en voor kleinere kwaaltjes zult u vaak meer op uzelf zijn aangewezen dan in Nederland. Maar het is goed iemand in de buurt te weten bij wie u terecht kunt als het werkelijk nodig is.

HOOFDSTUK 3

Malaria

Malaria wordt veroorzaakt door parasieten (*Plasmodia*) die van mens op mens worden overgebracht via de steek van bepaalde muggen (*Anopheles*-soorten). De belangrijkste malariasoort is malaria tropica. Voor de Europese tropenganger is dit in de praktijk de gevaarlijkste tropische ziekte. Zonder tijdige behandeling kan men er binnen een week aan doodgaan. De parasieten die deze vorm van malaria veroorzaken *(P. falciparum)* zijn bovendien vaak ongevoelig voor chloroquine en soms ook voor andere middelen. Daarnaast bestaan er twee minder gevaarlijke malariasoorten die zelden zo dramatisch verlopen. Men is er wel ernstig ziek van, maar levensbedreigende complicaties treden niet op. Bovendien kunnen deze malariasoorten nog vrijwel altijd op eenvoudige wijze met chloroquine behandeld worden.

HOE GEVAARLIJK IS MALARIA?

Niet overal in de tropen is het malaria-risico even groot (zie kaarten). In gebieden die hoger liggen dan 1500 à 2000 meter komt malaria meestal niet voor en ook in veel grote steden van Azië en Latijns-Amerika loopt men nauwelijks kans om malaria te krijgen. Wie in tropisch Afrika geen voorzorgsmaatregelen neemt, heeft een grote kans malaria (en waarschijnlijk malaria tropica) te krijgen. In Azië en Zuid-Amerika is het risico veel minder groot. Generalisaties zijn echter gevaarlijk. Op Irian Jaya (Nieuw-Guinea) is het risico groot, op Bali is geen malaria.

Voordat u naar de tropen gaat moet u dus informeren, bijvoorbeeld bij degene die uw vaccinaties verzorgt, of u in een malariagebied komt. *Malaria tropica is een zó gevaarlijke ziekte dat men zich daartegen moet beschermen, ook in gebieden waar het risico gering is.* Malaria wordt vooral gevaarlijk als de aandoening langer dan vier tot vijf dagen bestaat zonder dat eraan gedacht wordt en er dus geen behandeling wordt ingesteld. De 'onschuldige griep' die men denkt te hebben begint dan zijn ware gezicht als levensgevaarlijke ziekte te tonen.

Volwassenen in een malariagebied zijn veelal 'immuun' geworden voor malaria. Zij worden wel regelmatig door besmette muggen geïnfecteerd, maar hebben van hun parasieten weinig of geen last meer. Integendeel: die parasieten zorgen ervoor dat hun immuniteit op peil blijft. Malaria eist wel veel slachtoffers onder Afrikaanse kinderen die nog onvoldoende immuniteit opgebouwd hebben. Jaarlijks sterven één miljoen mensen aan malaria, van wie vele kinderen.

Als Europeaan mag men er niet op rekenen immuun te worden, ook niet tijdens een langdurig verblijf in een malariagebied. Door zijn levenswijze wordt de gemiddelde Europeaan te weinig door muggen gestoken en dus niet vaak genoeg geïnfecteerd om een goede immuniteit te kunnen opbouwen. Hij zal zich dus blijvend moeten wapenen tegen malaria.

PREVENTIE

De preventie van malaria is gebaseerd op twee pijlers: voorkomen dat men gestoken wordt door muggen én malaria-
middelen slikken om de groei van parasieten te voorkomen. Het malariarisico is in de verschillende landen wisselend en hangt onder andere af van het seizoen en de regen-
val. Als men slechts kort een gering risico loopt, kan men
volstaan met goede antimuggen-maatregelen, zeker als
men daarna weer teruggaat naar Nederland of naar een ge-
bied/stad waar eventueel malaria kan worden vastgesteld en
behandeld.

Aangezien de malariamuggen 's avonds en 's nachts steken,
moet u zich dan beschermen tegen muggen. Probeer het
huis muggenvrij te houden door muskietengaas *(screening)*
voor de ramen. Draag 's avonds een lange broek en kleding
met lange mouwen. 's Nachts is het verstandig te slapen
onder een muskietennet of klamboe wanneer de slaapka-
mer niet op een andere manier muggenvrij kan worden gehouden. Het beste zijn muskietennetten die zijn behandeld
met een insectendodend middel (permethrin).

Geïmpregneerde muskietennetten zijn te koop in de betere
buitensportzaken, bij Tropenzorg (Almere), bij het vac-
cinatiebureau van het Academisch Medisch Centrum
(AMC) te Amsterdam, bij de Reizigerskliniek van het
Havenziekenhuis te Rotterdam en bij het Medisch Comité
Nederland-Vietnam te Amsterdam.

Ook kleding kan met een insectendodend middel worden
bewerkt (sokken, hoofd-, polsband). Muggenwerende
smeersels op de huid werken maar kort: hooguit enkele
uren, zodat u steeds moet bijsmeren. Voor gebruik op de
huid zijn middelen met DEET het meest geschikt. Let er

dan wel op dat middeltjes met concentraties boven de 30 procent niet bij kinderen en bij zwangere vrouwen gedurende de eerste 12 weken van de zwangerschap gebruikt moeten worden. Voorkom contact met lippen, ogen, open of geïrriteerde huid. Als contact toch voorkomt, spoel de plek dan af met water. Raakt de huid geïrriteerd door het gebruik van DEET, raadpleeg dan een arts.

Wat u ook doet, iedereen zal toch wel eens door muggen gestoken worden en dus mogelijk met malariaparasieten geïnfecteerd worden. Vaccinatie tegen malaria is niet mogelijk, maar door het regelmatig slikken van bepaalde antimalariamiddelen (profylactica) kunt u zich toch redelijk beschermen.

MALARIA-PROFYLAXE (ANTIMALARIAMIDDELEN)

Voor profylaxe (voorbehoeding) tegen malaria zijn diverse medicamenten beschikbaar. Een middel dat men aan gezonde mensen voorschrijft ter voorkoming van een ziekte moet in principe volkomen onschadelijk zijn, geen bijwerkingen hebben en effectief zijn. Dergelijke middelen bestaan niet. Men moet een afweging maken tussen het risico malaria te krijgen en het risico van bijwerkingen. Proguanil (Paludrine®) en chloroquine (Nivaquine®) zijn allang in gebruik, hebben relatief weinig bijwerkingen maar zijn helaas niet altijd werkzaam. Andere middelen zoals Fansidar®, Camoquin® of Flavoquine® hebben soms ernstige bijwerkingen en zijn te gevaarlijk als profylaxe.

Mefloquine (Lariam®) is vaak werkzaam maar kent bijwerkingen die soms ernstig zijn: ernstige duizeligheid, slaapstoornis, dromen en nachtmerries, neerslachtigheid, soms psychose met waandenkbeelden. Hoe vaak deze ernstige bijwerkingen voorkomen is niet goed bekend. Daar wordt onderzoek naar gedaan. In Nederland wordt geadviseerd 3 weken voor vertrek met mefloquine te beginnen. De meeste bijwerkingen doen zich voor in de tweede of derde week. Men kan dan vóór de reis vaststellen of het middel verdragen wordt, eventueel andere maatregelen nemen. Als men Lariam® verdraagt is het een prettig middel: eenmaal per week één tablet. Bovendien is het effectief.

Maloprim® wordt in Engeland wel gebruikt. Het is redelijk effectief en heeft bij juist gebruik (1 tablet 1 x per week) niet veel bijwerkingen; bij gebruik van 2 tabletten per week komen ernstige bijwerkingen voor.

In 1998 komt een nieuw middel op de markt voor de behandeling van malaria: Malarone®. Het zal ook geschikt zijn als profylaxe. Het is een combinatie van atovaquone en proguanil.

Resistentie

Helaas zijn de parasieten die tropische malaria veroorzaken in veel landen deels of helemaal ongevoelig (resistent) geworden voor sommige antimalariamiddelen. Bij de keuze van de profylaxe moet men daarmee rekening houden. *Doordat de parasieten resistentie hebben ontwikkeld, is het bieden van bescherming tegen malaria moeilijker geworden, maar de meeste ziektegevallen vinden toch plaats omdat men zich niet goed aan de profylaxe-voorschriften gehouden heeft.* Wanneer men zich stipt houdt aan de preventieve maatregelen en de geadviseerde profylaxe, zal men zelden malaria-aanvallen krijgen, omdat de parasieten door de medicijnen onschadelijk worden gemaakt.

Het is ook mogelijk dat de gebruikte profylaxe in een gebied niet meer voldoende werkzaam is. In dat geval duurt het meestal toch wat langer voordat ernstige verschijnselen optreden, dan bij iemand die helemaal niets geslikt heeft. De profylaxe heeft dan tóch zin gehad, omdat ze een acute levensgevaarlijke ziekte iets minder acuut gemaakt heeft, waardoor er meer gelegenheid is voor goede behandeling.

Profylaxe-adviezen per regio

In die malariagebieden waar nog alle profylactica werkzaam zijn, wordt geadviseerd Paludrine® te gebruiken, omdat dat het meest onschuldige middel is. Voor gebieden waar veel malariaparasieten resistent zijn geworden tegen een of meer middelen wordt de combinatie Paludrine® en Nivaquine® of Lariam® aangeraden als profylaxe. *Toepassing van profylaxe tijdens de zwangerschap wordt dringend aanbevolen.*

'Het' beste middel, 'de' beste combinatie bestaat niet; honderd procent bescherming kan niet geboden worden. De adviezen veranderen in de loop der tijd en zijn in verschillende landen een beetje anders. Informeer vóór de reis bij huisarts, GGD of vaccinatiebureau. Voor alle middelen geldt dat zij het beste na wat eten ingenomen kunnen worden.

In 1998 gelden de volgende adviezen (zie ook de kaarten):

Voor Egypte (alleen Faiyum), het Midden-Oosten, Pakistan, Java (alleen Jepara), Sumatra, Mexico en Midden-Amerika tot aan het Panama-kanaal: **Proguanil (Paludrine®) 100 mg.**

Dosering:

Dagelijks 2 x 1 tablet ('s ochtends en 's avonds) vanaf de dag van vertrek naar het malariagebied tot 4 weken na het verlaten daarvan. Kinderen: tot 15 kg 2 x 1/4 tablet, 15-30 kg 2 x 1/2 tablet, boven 30 kg 2 x 1 tablet. Paludrine® kan veilig tijdens de zwangerschap worden gebruikt. N.B. In andere landen wordt de dosis Paludrine® meestal in één keer gegeven. Het is niet bewezen of dit beter of slechter is.

Bijwerkingen: Soms pijnlijke zweren aan de mond of (tijdelijke) haaruitval.

Voor Afrika ten zuiden van de Sahara, Zuidoost-Azië en het Amazonegebied: **Mefloquine (Lariam®) 250 mg.**

Dosering:

Wekelijks 1 tablet, te beginnen 3 weken vóór vertrek en doorgaan tot en met 4 weken na vertrek uit het malariagebied.

Kinderen tot 15 kg: niet geven; van 15-19 kg (circa 2-4 jaar) een kwart tablet; 20-30 kg (5-8 jaar) een half tablet; 31-45 kg (9-15 jaar) driekwart tablet. Lariam® wordt niet gegeven tijdens het eerste trimester van de zwangerschap.

Bijwerkingen: Misselijkheid, braken en duizeligheid. Ernstiger bijwerkingen: slaapstoornis, dromen, nachtmerries, neerslachtigheid, angst, waandenkbeelden.

Alternatief voor mensen die geen Lariam® verdragen of die meer dan 6 maanden in gebieden verblijven waar Lariam® (mefloquine) wordt geadviseerd:

Doxycycline *(1e alternatief)*

DOSERING:

1 x 100 mg per dag beginnen op de dag van aankomst, doorgaan tot en met 4 weken na vertrek uit malariagebied. Niet geschikt voor kinderen jonger dan 8 jaar en zwangere vrouwen. Oudere kinderen: 1,5 – 2 mg per kg, 1 x per dag.

Bijwerkingen: Gevoeliger voor zonlicht (fotosensibilisatie), diarree, schimmelinfecties van de vagina.

Paludrine® plus Nivaquine® *(2e alternatief)*

DOSERING:

Paludrine® (proguanil) 2 x 100 mg per dag gecombineerd met Nivaquine® (chloroquine) 1 x 300 mg per week. Om vanaf het begin goed beschermd te zijn, neme men de eerste dag 3 tabletten van 100 mg Nivaquine®, de tweede dag 3 tabletten en vervolgens eens per week 3 tabletten tot en met 4 weken na de reis.

Kinderen: tot 10 kg $^1/_2$ tablet, 10-20 kg 1 tablet, 20-30 kg 1$^1/_2$ tablet per week et cetera.

Nivaquine® en Paludrine® kunnen tijdens de zwangerschap worden gebruikt. In plaats van Nivaquine® kan men ook Resochin® (chloroquinefosfaat) of een ander chloroquinepreparaat gebruiken, meestal tabletten van 250 mg met 150 mg chloroquine. 2 tabletten van 250 mg bevatten dus dezelfde hoeveelheid chloroquine als 3 tabletten Nivaquine® van 100 mg.

Bijwerkingen:

Deze chloroquinedosering is per week zo laag dat men geen risico loopt op belangrijke bijwerkingen zoals oogafwijkingen, die bijvoorbeeld wel kunnen voorkomen bij reumapatiënten als zij lange tijd 200 mg chloroquine *per dag* moeten slikken!

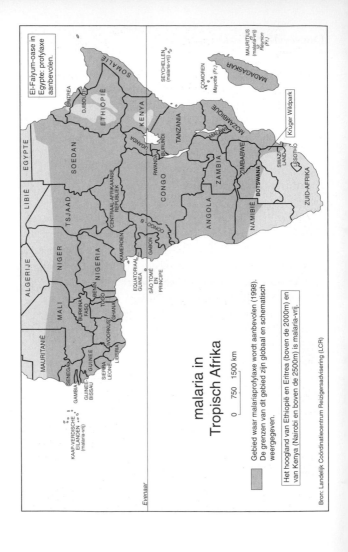

malaria in Tropisch Afrika

0   750   1500 km

Gebied waar malariaprofylaxe wordt aanbevolen (1998). De grenzen van dit gebied zijn globaal en schematisch weergegeven.

Het hoogland van Ethiopië en Eritrea (boven de 2000m) en van Kenya (Nairobi en boven de 2500m) is malaria-vrij.

Bron: Landelijk Coördinatiecentrum Reizigersadvisering (LCR)

El-Faiyum-oase in Egypte: profylaxe aanbevolen.

Kruger Wildpark

Evenaar

MAURITIUS (malaria-vrij) Réunion (Fr.)

SEYCHELLEN (malaria-vrij)

COMOREN Mayotte (Fr.)

MADAGASKAR

SOMALIE

ERITREA

DJIBOUTI

ETHIOPIË

KENYA

TANZANIA

MOZAMBIQUE

UGANDA

RWANDA

BURUNDI

MALAWI

CONGO

ZAMBIA

ZIMBABWE

SWAZI-LAND

LESOTHO

ZUID-AFRIKA

BOTSWANA

NAMIBIË

ANGOLA

CONGO-B

GABON

EQUATORIAAL GUINEA

SÃO TOMÉ EN PRINCIPE

KAMEROEN

CENTRAAL-AFRIKAANSE REPUBLIEK

NIGERIA

BENIN

TOGO

GHANA

IVOORKUST

LIBERIA

SIERRA LEONE

GUINEE

GUINEE-BISSAU

GAMBIA

SENEGAL

BURKINA-FASO

MALI

NIGER

TSJAAD

SOEDAN

MAURITANIË

ALGERIJE

LIBIË

EGYPTE

KAAP-VERDISCHE EILANDEN (malaria-vrij)

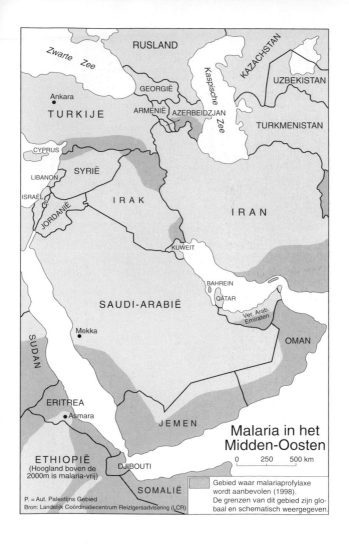

Malaria in het
Midden-Oosten

0   250   500 km

Gebied waar malariaprofylaxe
wordt aanbevolen (1998).
De grenzen van dit gebied zijn globaal en schematisch weergegeven.

P. = Aut. Palestijns Gebied
Bron: Landelijk Coördinatiecentrum Reizigersadvisering (LCR)

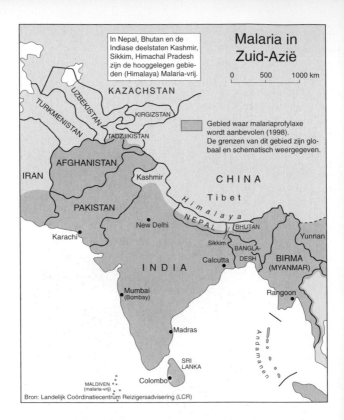

In Nepal, Bhutan en de Indiase deelstaten Kashmir, Sikkim, Himachal Pradesh zijn de hooggelegen gebieden (Himalaya) Malaria-vrij.

Malaria in Zuid-Azië

0   500   1000 km

Gebied waar malariaprofylaxe wordt aanbevolen (1998). De grenzen van dit gebied zijn globaal en schematisch weergegeven.

KAZACHSTAN

TURKMENISTAN

UZBEKISTAN

KIRGIZSTAN

TADZJIKISTAN

AFGHANISTAN

IRAN

PAKISTAN

Kashmir

CHINA

Tibet

Himalaya

NEPAL

BHUTAN

Sikkim

New Delhi

Karachi

Yunnan

BANGLA-DESH

Calcutta

INDIA

BIRMA (MYANMAR)

Mumbai (Bombay)

Rangoon

Madras

Andamanen

SRI LANKA

Colombo

MALDIVEN (malaria-vrij)

Bron: Landelijk Coördinatiecentrum Reizigersadvisering (LCR)

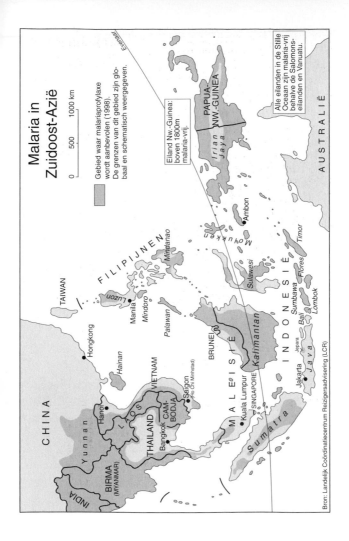

Malaria in Zuidoost-Azië

0   500   1000 km

Gebied waar malariaprofylaxe wordt aanbevolen (1998). De grenzen van dit gebied zijn globaal en schematisch weergegeven.

Eiland Nw.-Guinea: boven 1800m malaria-vrij.

Alle eilanden in de Stille Oceaan zijn malaria-vrij behalve de Salomons-eilanden en Vanuatu.

Bron: Landelijk Coördinatiecentrum Reizigersadvisering (LCR)

CHINA
INDIA
BIRMA (MYANMAR)
Yunnan
Hainan
Hongkong
TAIWAN
Hanoi
LAOS
THAILAND
Bangkok
CAM-BODJA
VIETNAM
Saigon (Ho Chi Minhstad)
FILIPIJNEN
Luzon
Manila
Mindoro
Mindanao
Palawan
M A L E I S I Ë
Kuala Lumpur
SINGAPORE
BRUNEI
Kalimantan
Sumatra
Jakarta
Java
Jepara
Bali
Lombok
Sumbawa
Flores
Timor
Sulawesi
I N D O N E S I Ë
M o l u k k e n
Ambon
Irian Jaya
PAPUA-NW.-GUINEA
Evenaar
AUSTRALIË

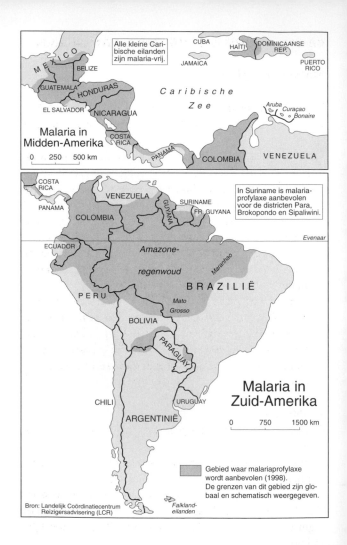

Malaria in Midden-Amerika

Alle kleine Caribische eilanden zijn malaria-vrij.

CUBA
HAÏTI
DOMINICAANSE REP.
JAMAICA
PUERTO RICO

MEXICO
BELIZE
GUATEMALA
HONDURAS
EL SALVADOR
NICARAGUA
COSTA RICA
PANAMA
COLOMBIA

Caribische Zee

Aruba
Curaçao
Bonaire

VENEZUELA

0   250   500 km

COSTA RICA
PANAMA
VENEZUELA
COLOMBIA
GUYANA
SURINAME
FR. GUYANA
ECUADOR

In Suriname is malaria-profylaxe aanbevolen voor de districten Para, Brokopondo en Sipaliwini.

Evenaar

Amazone-regenwoud

Maranhao

BRAZILIË

PERU

Mato Grosso

BOLIVIA

PARAGUAY

CHILI

URUGUAY

ARGENTINIË

Malaria in Zuid-Amerika

0   750   1500 km

Gebied waar malariaprofylaxe wordt aanbevolen (1998). De grenzen van dit gebied zijn globaal en schematisch weergegeven.

Falkland-eilanden

Bron: Landelijk Coördinatiecentrum Reizigersadvisering (LCR)

MALARIA

BEHANDELING VAN MALARIA-AANVALLEN

Malaria tropica

Iemand die in de tropen koorts krijgt zegt al gauw: 'Ik heb weer malaria', zoals men bij ons zou spreken van een 'griep'.

Vaak zal dat niet terecht zijn, want niet elke koorts in de tropen is malaria. Maar vooral wanneer er geen arts en geen goed laboratorium in de buurt is, moet elke koorts in een malariagebied, die langer dan drie dagen duurt, voor de zekerheid beschouwd worden als een mogelijke malaria. Een 'gemiste' diagnose kan levensgevaarlijk zijn. Het is beter tien koortsaanvallen ten onrechte als malaria te behandelen, dan eenmaal malaria tropica op zijn beloop te laten, met misschien een dodelijke afloop.

De parasiet die malaria tropica veroorzaakt heet *Plasmodium falciparum*. Ongeveer zeven tot tien dagen nadat u door een besmette mug bent gestoken, krijgt u koorts, vaak tot boven de 40°C, soms, maar niet altijd, gepaard gaande met koude rillingen waarbij u hevig transpireert: een malaria-aanval.

Symptomen

Bij malaria tropica dient u twee dingen goed in de gaten te houden:

U kunt elke dag koorts hebben. Bij deze malariasoort komt niet het koortsbeloop met pieken om de dag voor.

Als u malaria tropica krijgt terwijl u profylaxe-pillen slikt, lijkt de ziekte aanvankelijk niet zo erg: de koorts is in het begin niet zo hoog, er zijn geen koude rillingen; het lijkt veel op 'griep'.

Tijdens een aanval van malaria tropica kunnen ook verschijnselen optreden als hoofdpijn, pijn in spieren en gewrichten, vooral in nek en rug, daarnaast diarree, braken en hoesten. Bij kinderen treden bij hoge koorts nogal eens stuipen op.

Maar: deze symptomen komen ook voor bij allerlei andere ziekten. De diagnose malaria tropica is pas helemaal zeker wanneer bij microscopisch bloedonderzoek *Plasmodium falciparum*-parasieten worden gevonden. Omdat een goed laboratorium niet overal in de tropen aanwezig is, blijft het vaak bij een 'waarschijnlijkheidsdiagnose'.

Behandeling

De behandeling van malaria tropica is heden ten dage niet eenvoudig, doordat de parasiet in veel gebieden meer of minder resistent is geworden tegen het veel gebruikte chloroquine. Deze resistentie neemt toe. Als men zijn profylaxemiddelen goed gebruikt heeft, is de kans dat de malaria nog reageert op een behandeling met chloroquine erg klein. In dat geval gebruikt men Fansidar® (Afrika), Halfan® (elders) of een combinatie van kinine met doxy- of tetracycline. In toenemende mate wordt men ook behandeld met artemisinine.

Fansidar® is een combinatie van twee middelen. Het middel kan ook tijdens de zwangerschap worden gebruikt, niet bij overgevoeligheid voor sulfa (sulfonamiden, groep van geneesmiddelen voor het doden van bacteriën). Omdat Fansidar® bij herhaald, wekelijks gebruik ernstige bijwerkingen kan hebben is het ongeschikt als malaria-profylaxe. Metakelfin® is een andere merknaam, niet in Nederland verkrijgbaar, maar in Afrika veel gebruikt.

DOSERING:

Fansidar®: Volwassenen 3 tabletten in één keer, kinderen in de leeftijd 9-15 jaar 2 tabletten, 5-8 jaar 1 tablet, 1-4 jaar 1/2 tablet en jonger dan 1 jaar geen tablet.

Bijwerkingen: Milde tot soms ernstige huidaandoeningen, maag-darmstoornissen.

Soms is ook Fansidar® niet meer voldoende werkzaam om een malariapatiënt te genezen. Dit doet zich vooral voor in Zuidoost-Azië, maar ook in Latijns-Amerika. Men kan dan halofantrine *(Halfan®)* of mefloquine *(Lariam®)* gebruiken.

DOSERING:

Halofantrine (Halfan®): 3 x 500 mg op één dag, na 1 week her-halen; kinderen 3 x 8 mg per kg lichaamsgewicht op één dag, na een week herhalen. Halofantrine alleen gebruiken als bekend is dat op het elektrocardiogram normale geleidingstijden te zien zijn. Het middel kan ernstige hartritmestoornissen veroorzaken.

Mefloquine (Lariam®): 750 mg eerste dosis, 500 mg na 8 uur en (bij 60 kg lichaamsgewicht of meer) nog eens 250 mg weer na 8 uur. (Of handel zoals bij kinderen: 15 mg per kg eerste dosis, na 8 uur 10 mg per kg). Bijwerkingen: Bij deze hoge dosering hebben veel mensen die mefloquine gebruiken last van bijwerkingen, met name duizeligheid en misselijkheid.

Wanneer toch besloten wordt om malaria met chloroquine te behandelen, bijvoorbeeld in gebieden zonder chloroqui-ne-resistentie (Midden-Amerika, Caribisch gebied, Mid-den-Oosten), dan moet men het volgende weten: chloro-quine is onder vele merknamen bekend. In Nederland heet het preparaat *Nivaquine®*, maar er zijn tientallen andere merknamen in de handel. Bekend zijn *Resochin®* en *Aralen®*.

DOSERING:

De hoeveelheid actieve chloroquine per tablet wordt op de verpakking of in de bijsluiter aangegeven als 'chloroquine-base'. Kijk
dus altijd hoeveel chloroquine-base er zit in de tabletten die u
gebruikt. **Nivaquine**®-tabletten van 100 mg bevatten 100 mg
base; **Resochin**®-tabletten van 250 mg bevatten echter slechts
150 mg base.

Bij een malaria-tropica-aanval geeft men aan een volwassene 600
mg chloroquine-base ineens (6 tabletten Nivaquine® van 100 mg
of 4 tabletten Resochin® van 250 mg); na 6 uur nog eens 300 mg
en vervolgens 2 of 3 dagen nogmaals 300 mg per dag. In totaal 25
mg per kg lichaamsgewicht, dus 1500 à 1800 mg.

Een ander praktisch advies is: eerste dosis 10 mg per kg lichaamsgewicht, na 24 uur weer 10 mg per kg en weer na 24 uur 5 mg per
kg. Dit kan men ook voor kinderen hanteren, waarbij zo nodig
naar boven afgerond moet worden. Wanneer koorts niet reageert
op een antimalariabehandeling, moet er natuurlijk naar andere
oorzaken van het ziektebeeld worden gezocht.

Malaria tertiana en malaria quartana

Malaria tertiana, veroorzaakt door *Plasmodium vivax* of
Plasmodium ovale en malaria quartana, veroorzaakt door
Plasmodium malariae, geven ook malaria-aanvallen, die
echter niet levensgevaarlijk zijn. Men spreekt ook wel van
anderdaagse of derdendaagse koorts (malaria tertiana) of
van vierdendaagse koorts (malaria quartana).

Symptomen

Bij deze ziekten treedt de koorts regelmatig op in pieken
om de 48 uur (tertiana) of 72 uur (quartana). Tijdens de
aanval is men wel ernstig ziek, maar men gaat, ook zonder

behandeling, niet aan deze vorm van malaria dood, in tegenstelling tot malaria tropica.

Behandeling

Omdat malaria tropica en goedaardige vormen van malaria op veel plaatsen naast elkaar voorkomen, weet men zonder bloedonderzoek niet zeker met welke soort men te maken heeft. Een aanval van malaria tertiana reageert vrijwel altijd op chloroquine (schema voor behandeling: zie boven). Resistentie komt in beperkte mate voor in Indonesië (Irian Jaya). Fansidar® werkt maar matig bij malaria tertiana; Lariam® of Halfan® werken wel.

Malaria tertiana is de enige vorm van malaria, die ook vele maanden na vertrek uit een malariagebied nog kan optreden, ook al heeft men zijn profylaxe-pillen goed gebruikt. Men moet dan eerst weer met chloroquine behandeld worden en vervolgens met primaquine, om herhaling te voorkomen. Zolang u antimalariapillen slikt, wordt malaria tertiana onderdrukt en geeft nooit ziekteverschijnselen.

WAT TE DOEN MET DE PROFYLAXE BIJ EEN MALARIA-AANVAL

Tijdens de behandeling van een malaria-aanval, kan de profylaxe het beste worden gestaakt. De combinatie van mefloquine met halofantrine kan gevaarlijk zijn. Als u het malariagebied verlaten heeft en in een gebied bent gearriveerd waar malaria goed kan worden vastgesteld en behandeld, kunt u de profylaxe staken. In andere omstandigheden hervat u de profylaxe na 1 week.

DE MALARIA-MYTHE

Het zal de reiziger die vaker naar de tropen reist en die dan contact heeft met andere buitenlandse reizigers opvallen, dat er weinig uniformiteit is in de adviezen aangaande het gebruik van antimalariamiddelen. Er blijken vele voorschriften te bestaan, officiële en zelfbedachte varianten. Vaak heeft elk land zijn eigen beleid in dezen. Meestal vindt men het eigen voorschrift het beste. Als dit onderwerp ter sprake komt (wat nogal eens gebeurt), botsen de meningen soms fel.

Wij willen hier vooropstellen dat niet één regime duidelijk het beste is. Daarom ook zijn er zoveel varianten. Er bestaat geen malaria-profylaxe die én honderd procent bescherming biedt én gedurende langere tijd in te nemen is zonder bijwerkingen. Wat de voorschriften betreft wordt alom gestreefd naar uniformiteit, maar keer op keer blijkt dat de beleidsmakers op dit gebied als het erop aankomt in ieder land aan hun eigen opvattingen blijven vasthouden.

Op zich is dat geen probleem. Het belangrijkste is dat u zich goed houdt aan het voorschrift dat u gekregen heeft, ook en vooral de vier weken na terugkomst in Nederland!

Laat u niet wijsmaken dat een ander voorschrift beter is dan hetgeen u kreeg. De voorschriften in dit boekje komen overeen met de officiële Nederlandse voorschriften zoals die begin 1998 golden. Ze zijn zo goed als de andere goede en beter dan vele varianten die in de tropen worden gehanteerd. Ze gaan uit van een goede balans tussen 1) afdoende bescherming met zo min mogelijk bijwerkingen en 2) de kans malaria te krijgen en hierdoor ernstig ziek te worden.

De aanbevelingen worden bijgesteld als dat moet. Nieuwe richtlijnen worden verwerkt in volgende drukken van *Hoe blijf ik gezond in de tropen.* U moet dan ook niet jaren op de hier gegeven informatie blijven vertrouwen, maar zich voor een nieuwe reis weer op de hoogte stellen bij een vaccinatiebureau. De situatie verandert regelmatig!

'Van malaria kom je nooit meer af.' Deze nogal eens gehoorde bewering is onjuist. Als een malaria-aanval door *Plasmodium falciparum*-infectie (malaria tropica) eenmaal behandeld en genezen is, is deze ook definitief over en komt niet meer terug.

Goedaardige malaria kan nog tot ongeveer vier jaar na een verblijf in de tropen ontstaan. De meeste aanvallen doen zich voor binnen één jaar na terugkeer, hierna worden de aanvallen uitzonderlijk. Na behandeling met chloroquine en primaquine komt u ervan af. U blijft er niet uw hele leven mee zitten.

HOOFDSTUK 4

Darminfecties

Veel tropenbewoners lopen rond met darminfecties. Een aantal van hen heeft ziekteverschijnselen, maar het merendeel heeft geen enkele klacht en is niet ziek. Beide groepen, dus ook de gezonde 'dragers' (in het Engels *carriers* genoemd) zijn mogelijke infectiebronnen voor anderen. In hun ontlasting (feces, fecaliën) zitten bacteriën, virussen en andere ziekteverwekkers die door het ontbreken van goede toiletten en riolering vaak terechtkomen in de vrije natuur. Het oppervlaktewater (sloten, rivieren, meren), dat door de bevolking als drinkwater wordt gebruikt, is vaak fecaal verontreinigd. Dat geldt ook voor waterputten en kan ook gelden voor moderne watervoorzieningen, zodat ook kraanwater in een hotel meestal niet te vertrouwen is.

Men kan dus een darminfectie oplopen door het drinken van besmet water, maar ook via andere wegen kunnen ziektekiemen vanuit ontlasting terechtkomen in ons eten en drinken (zie ook blz. 35). Zo kan een kok die niet goed zijn handen wast nadat hij naar de wc is geweest, het voedsel dat hij klaarmaakt besmetten. Vliegen die op ontlasting hebben gezeten, kunnen aan hun pootjes ziektekiemen meedragen naar keuken of eettafel. Op plaatsen waar menselijke fecaliën worden gebruikt als mest voor groentetuinen (zoals in China), kan men geïnfecteerd raken door het eten van ongekookte groenten.

Gelukkig zijn de meeste darminfecties tamelijk onschuldig. Vaak merkt u er niets van of veroorzaken ze alleen een kortdurende 'reizigersdiarree' (zie blz. 38), of diarree die wat langer aanhoudt en vooral brijachtige, vettige ontlasting geeft, zoals bij giardiasis (zie blz. 65).

Sommige darminfecties kunnen veel ernstiger klachten geven: bacillaire en amoebendysenterie, buiktyfus, cholera. Tenslotte zijn ook kinderverlamming (polio) en besmettelijke hepatitis A (geelzucht) in eerste instantie darminfecties.

PREVENTIE

Fecaal verontreinigd voedsel en drinkwater zijn de belangrijkste bronnen van darminfecties. Als u sterke maagzuurremmers gebruikt loopt u meer risico, omdat u de maagzuurbarrière tegen infecties mist. Dit is meestal ook het geval na maagoperaties.

Wanneer u er niet zeker van bent dat het water zonder meer geschikt is om te drinken, kook het dan gedurende 1 minuut (hoog in de bergen 1 à 2 minuten langer). U kunt er koffie of thee van zetten, het laten afkoelen en in schone flessen in een koelkast bewaren, of er ijsblokjes van maken. Mineraalwater, limonade en koolzuurhoudende dranken uit flesjes zijn meestal betrouwbaar als de sluiting (dop) nog goed is.

In de betere buitensportzaak zijn diverse goede en hanteerbare waterfilters verkrijgbaar; prijs vanaf circa 200 gulden. Een filterapparaat moet regelmatig worden schoongemaakt of van een nieuwe filter worden voorzien. Sommige apparaten hebben met jodium geprepareerde filters hetgeen voordelen biedt.

Jodium is als zuiverings- en ontsmettingsstof beter dan de meeste andere stoffen, maar vanwege de smaak bij Europe-

Reizigersdiarree zie blz. 38-40

Salmonella-infecties

Darminfecties die worden veroorzaakt door 'broertjes' van *Salmonella typhi* en *Salmonella paratyphi*, zijn vaak de oorzaak van epidemietjes van voedselvergiftiging. Evenals andere vormen van bacteriële voedselvergiftiging geven zij meestal een kortdurende diarree met braken, die vanzelf overgaat. Veel dieren herbergen salmonellae. Allerlei besmet dierlijk voedsel zoals kip, mosselen en oesters kan zo'n 'voedselvergiftiging' veroorzaken.

ERNSTIGE DARMINFECTIES

Amoebendysentrie

Amoebendysenterie wordt veroorzaakt door een eencellige darmparasiet, *Entamoeba histolytica*.

Symptomen
In tegenstelling tot bacillaire dysenterie is amoebendysenterie een chronische ziekte zonder koorts. Ze begint met vage buikklachten die geleidelijk toenemen waarbij de patiënt tenslotte 3 à 4 maal per dag brijachtige ontlasting met bloed en slijm produceert en soms tot 10 maal per dag wat bloederig slijm.

Behandeling
De ziekte kan maanden voortduren, maar kan, wanneer de diagnose eenmaal gesteld is, vlot en volledig worden genezen, met metronidazol (Flagyl®) of tinidazol (Fasigyn®).

Het gaat dan om hogere doseringen dan bij giardiasis het geval is (3 tot 5 dagen 2 gram in één dosis).

Ook bij doorgewinterde tropengangers bestaat veel misverstand over 'amoeben'. Sommigen noemen elke diarree dysenterie en elke dysenterie amoebendysenterie. Velen denken dat zij, eenmaal besmet, nooit helemaal van hun amoeben af zullen komen en wijten soms na tientallen jaren ten onrechte al hun buikklachten nog aan een vroeger doorgemaakte amoebeninfectie. Dit is onjuist; door goede behandeling kan amoebiasis volledig genezen.

Met speciale onderzoeksmethoden kan onderscheid gemaakt worden tussen de ziekmakende vorm (de echte *Entamoeba histolytica)* en de vorm die geen ziekte veroorzaakt die tegenwoordig *Entamoeba dispar* wordt genoemd. Deze methoden zijn nog maar in enkele laboratoria mogelijk. Met alleen microscopisch onderzoek van de ontlasting kan dit onderscheid niet gemaakt worden; men ziet alleen 'amoeben' en 'cysten'.

In de tropen heeft soms wel 20 tot 30 procent van de bevolking *Entamoeba histolytica*-parasieten in de darmen. Verreweg het grootste deel van deze parasietendragers heeft daar nooit klachten van. Wellicht hebben velen de nietziekmakende vorm. In hun ontlasting vindt men de parasieten alleen in het niet-actieve stadium, als zogenaamde cysten of cystenvormen. Slechts een klein percentage van de parasietendragers wordt ziek en krijgt amoebendysenterie. Bij hen vindt men géén cysten, maar actief-beweeglijke en steeds van vorm veranderende amoeben.

Als u in de tropen ooit uw ontlasting laat onderzoeken, zult u misschien te horen krijgen dat u 'amoeben' hebt. Vraag dan altijd of men cysten heeft gevonden (een toevallige vondst die geen verklaring geeft voor de diarree die u misschien heeft) of beweeglijke amoeben met daarin rode bloedcellen (wat betekent dat u amoebendysenterie heeft). Elke cystendrager Flagyl® laten slikken, zoals helaas ook veel artsen in de tropen gewend zijn te doen, is onjuist. Zolang men in de tropen verblijft is de kans op herinfectie zo groot, dat men de cysten vaak beter kan laten zitten.

Worden na terugkeer in Nederland, waar *Entamoeba histolytica* weinig voorkomt en waar men dus niet gemakkelijk opnieuw geïnfecteerd zal worden, nog cysten in de ontlasting gevonden, dan is het wel zinnig een geneesmiddel voor te schrijven. Diloxanide® of Clioquinol® zijn dan geschikte middelen (Diloxanide® 3 x daags 500 mg, 10 dagen; Clioquinol® 3 x daags 250 mg, 10 dagen).

Flagyl® wordt ook nogal eens ten onrechte aan reizigers met diarree voorgeschreven op vermoeden van een amoebeninfectie. Aangezien het middel vaak maagklachten met misselijkheid geeft, kan de situatie moeilijker worden, zeker als die klachten ook nog eens aan de oorspronkelijke ziekte en niet aan de Flagyl® geweten worden.

Bacillaire dysenterie

Bacillaire dysenterie wordt veroorzaakt door *Shigella*-bacteriën.

Symptomen
Het is een acute ziekte met hoge koorts en heftige krampende aandrang. De patiënt produceert soms 10 tot 15 maal per dag 'ontlasting' met bloed en slijm.

Behandeling
Hoewel men meestal ook zonder behandeling na één tot

twee weken vanzelf beter wordt, zal een arts het natuurlijk beloop niet afwachten en een antibioticum voorschrijven.

De eerste keus gaat uit naar een chinolon-preparaat, bijvoorbeeld ciprofloxacin, 500 mg 2 x daags gedurende 5 dagen. In Afrika zou men een co-trimoxazol kuur (bijvoorbeeld Bactrimel®, maar er zijn meerdere merknamen) kunnen nemen: 2 x daags 2 tabletten van 480 mg of 2 x daags één 'forte' tablet van 960 mg gedurende 5 dagen. Met name in Azië zijn *Shigella*-bacteriën vaak ongevoelig voor diverse antibiotica. Chinolon-preparaten bieden hier meestal nog uitkomst. De dosering co-trimoxazol is bij kinderen gebaseerd op 25 mg sulfa per kg (1 tablet bevat 400 mg sulfa, een forte tablet 800 mg). Toediening 2 x daags, 5 dagen. Chinolon-preparaten bij kinderen alleen toedienen indien strikt noodzakelijk; dan eventueel ciprofloxacin 8-10 mg per kg 2 x daags, 5 dagen. Zorg ervoor dat kinderen voldoende vocht binnenkrijgen om niet uit te drogen.

Buiktyfus

Buiktyfus wordt veroorzaakt door *Salmonella typhi*-bacteriën. Men krijgt de bacteriën binnen via besmet voedsel of water.

Preventie
Men kan zich tegen buiktyfus laten vaccineren. Voor sommige gebieden is dat meer aan te raden dan voor andere; raadpleeg hiervoor vaccinatiecentrum of huisarts.

Symptomen
Behalve hoge koorts zijn er weinig typische ziekteverschijn-

selen. De ziekte gaat niet gepaard met frequente diarree zoals nogal eens wordt gedacht. Soms is er diarree, maar vaker het tegenovergestelde: verstopping. Meestal heeft de patiënt hoofdpijn en wordt hij na enkele dagen suffig. Buiktyfus komt in de tropen zoveel voor, dat men bij elke 'onbegrepen' koorts die niet reageert op antimalariamiddelen hieraan moet denken.

Behandeling
Wanneer de patiënt tijdig behandeld wordt, bijvoorbeeld met ciprofloxacin, amoxicilline of chlooramfenicol, geneest hij meestal snel. Onbehandeld kan hij doodgaan aan complicaties zoals buikvliesontsteking.

Paratyfus

Paratyfus wordt veroorzaakt door *Salmonella paratyphi A, B* of *C*. De ziekte kan ernstig verlopen en is dan alleen van buiktyfus (zie blz. 69) te onderscheiden door kweek van de bacterie. Soms verloopt ze ook als een vrij onschuldige diarree. Tegen paratyfus wordt in Nederland niet meer gevaccineerd omdat de voordelen van de vaccinatie niet opwegen tegen de nadelen: het vaccin had veel bijwerkingen en was weinig werkzaam. In het buitenland verricht men deze vaccinatie soms nog wel: TAB is een combinatievaccin tegen buiktyfus en paratyfus A en B.

Cholera

Cholera wordt veroorzaakt door de bacteriën *Vibrio cholerae* en *Vibrio El Tor*. De ziekte loopt men meestal op door het drinken van fecaal besmet water.

Preventie

De vaccinatie tegen cholera (zie blz. 16) geeft maar beperkte bescherming en is ook niet van belang voor het
tegengaan van een epidemie. Hygiënische maatregelen zijn
het belangrijkste ter voorkoming van cholera.

Symptomen

De ziekte wordt gekenmerkt door waterdunne diarree die
zo ernstig kan zijn dat de patiënt binnen enkele uren uit-
droogt en aan shock overlijdt. Er is geen koorts.

Tijdens de cholera-epidemieën die geregeld optreden in
Azië en Afrika en sinds 1991 ook weer in Zuid- en Midden-Amerika, sterven velen door gebrek aan elementaire
medische voorzieningen. Een patiënt die op tijd behandeld
wordt, vooral door toediening van voldoende vocht, geneest meestal vlot.

Verreweg de meeste mensen die cholerabacteriën binnenkrijgen worden echter niet ziek of krijgen alleen een onschuldige diarree. Europeanen die in goede conditie zijn en
een goede maagfunctie hebben, zodat veel bacteriën door
het maagzuur gedood worden, krijgen vrijwel nooit ernstige choleraverschijnselen. De kans dat een reiziger met
cholera wordt besmet blijkt erg klein te zijn.

Hepatitis A

Hepatitis A (geelzucht, geling, besmettelijke geelzucht) is
een leverziekte die veroorzaakt wordt door een virus dat
vanuit ontlasting terecht is gekomen in eten of drinken.

Preventie

Bij Europeanen in de tropen komt de ziekte vaak voor. Daarom wordt iedereen die naar de tropen gaat ter voorkoming aangeraden een injectie gammaglobuline te nemen of zich te laten vaccineren (zie blz. 20).

Symptomen

Vooral bij volwassenen kan de ziekte ernstig verlopen. De patiënt heeft koorts, wordt geel, zijn urine wordt donker en de ontlasting lichtgekleurd (als stopverf). De koorts is meestal niet erg hoog en verdwijnt als de patiënt geel wordt. Er is wat pijn rechtsboven in de buik en misselijkheid. Vooral vet wordt slecht verdragen. De ziekte duurt enkele weken. In de acute periode doet men het meestal rustig aan en probeert men vooral met zoete voeding en dranken calorieën naar binnen te krijgen. Men mag overigens eten waar men trek in heeft, maar alcohol moet niet gebruikt worden

Behandeling

Geneesmiddelen tegen hepatitis bestaan niet. Vrijwel alle patiënten genezen vanzelf, al kan het maanden duren voordat men weer helemaal fit is. Daarna is men voor zijn verdere leven immuun. Men kan maar eenmaal hepatitis A krijgen, net als mazelen en rodehond.

Kinderverlamming

Kinderverlamming (poliomyelitis, polio) is een virusinfectie die op dezelfde manier als de reeds besproken darminfecties wordt overgebracht, namelijk via ontlasting die het virus bevat waarmee water of voedsel worden besmet.

Preventie

Er zijn drie soorten poliovirus. Tegen alle drie worden de meeste baby's in Nederland ingeënt als onderdeel van hun serie DKTP (difterie/ kinkhoest/tetanus/polio, zie blz. 16). Voor hervaccinatie wordt DTP gebruikt, zonder kink-hoestcomponent.

Symptomen

De ziekte manifesteert zich vooral in het zenuwstelsel, met de bekende verlammingsverschijnselen. Polio komt in de tropen nog regelmatig voor en is daar ook voor volwassen Europeanen nog een reëel risico. Wel wordt de poliomyelitis overal teruggedrongen. Iedere tropenganger behoort er dan ook tegen gevaccineerd te zijn.

HOOFDSTUK 5

Wormen

WORMINFECTIES

Er zijn ongeveer twintig soorten wormen die als parasiet bij de mens kunnen voorkomen. De mens noemt men de 'gastheer', de wormen zijn 'gasten'. Dat klinkt nogal vriendelijk, de meesten van ons vinden het echter maar enge beesten om mee rond te lopen.

Worminfecties geven echter lang niet altijd klachten. Of men last heeft van zijn wormen hangt vooral af van hun aantal. Zijn er veel wormen, dan spreekt men van een grote 'wormlast' of een zware infectie. Dat kan ernstige consequenties hebben. Maar bepaalde wormsoorten die voor de lokale bevolking een ernstig gezondheidsprobleem vormen, geven Europeanen meestal weinig of geen klachten. Wanneer bij Europeanen in de ontlasting eieren worden gevonden, bijvoorbeeld van spoel- of mijnwormen, gaat het meestal om een gering aantal, wat wijst op een klein aantal wormen, een lichte infectie die ongevaarlijk is. Ook veel inwoners van tropische landen lopen rond met lichte en zelfs zwaardere worminfecties, vaak meerdere soorten tegelijk, zonder dat zij daar last van hebben.

Velen denken dat wormen zich net als bacteriën en virussen in het lichaam kunnen vermenigvuldigen. Op een enkele uitzondering na *(Strongyloides stercoralis, Hymenolepis nana)* is dat niet het geval. Een nieuwe worm kan alleen ontstaan door een nieuwe infectie van buitenaf. Worminfecties kunnen ook niet zonder meer van mens op mens overgaan; eieren of larven van wormen hebben een bepaalde rijpingstijd in de natuur nodig of een ontwikkelingsperiode in een 'tussengastheer' (insect of ander dier) voordat zij een volgende mens kunnen besmetten. Aarsmaden zijn een uitzondering op die regel.

Om te begrijpen hoe men een worminfectie kan oplopen respectievelijk vermijden, moet men enig idee hebben van de levenscyclus of kortweg de 'cyclus' van de worm, dat wil zeggen de weg die het nageslacht van de worm (ei of larve) moet gaan om ten slotte een nieuwe gastheer te vinden. De cyclus is per wormsoort verschillend en soms nogal ingewikkeld. De meeste worminfecties loopt men in de (sub)tropen op, omdat voor het voltooien van de cyclus onhygiënische omstandigheden en gewoonten een vereiste zijn, er een tropische tussengastheer nodig is, of een tropische temperatuur. Slechts enkele wormsoorten (aarsmade, runderlintworm) hebben zich in Nederland kunnen handhaven.

Behandeling

Worminfecties kan men meestal opsporen door microscopisch onderzoek van ontlasting, urine, bloed of huid, waarbij eieren of larven gevonden worden. Tegen vrijwel alle wormsoorten bestaan tegenwoordig goede geneesmiddelen. De belangrijkste wormen worden hier kort besproken. De aanduiding * betekent dat deze infectie heel weinig wordt aangetroffen bij reizigers/*expatriates*; ** betekent regelmatig aangetroffen en *** vaak.

WORMSOORTEN

Aarsmaden**

Aarsmaden (*Oxyuris* of *Enterobius vermicularis*) zijn draad-vormige wormpjes van 1 cm lengte die ook in Nederland vaak gezien worden in de ontlasting, vooral van kleine kin-deren. Zij huizen in de dikke darm. De vrouwtjeswormen komen vooral 's avonds en 's nachts uit de anus gekropen om hun eieren op de huid te deponeren. Vaak treedt jeuk op, wat aanleiding geeft tot krabben zodat de eieren aan de vingers en onder de nagels terechtkomen en daarna vaak in de mond. Uit elk doorgeslikt ei kan een nieuwe worm ont-staan.

De oxyuris-eieren zijn onmiddellijk besmettelijk, niet al-leen voor de wormdrager zelf maar ook voor zijn omge-ving. De eieren kunnen namelijk via kleding, beddengoed en huisstof gemakkelijk terechtkomen bij broers en zusjes of bij klasgenoten. Vaak heeft (bijna) iedereen in een gezin of klas aarsmaden.

Symptomen
Soms veroorzaken deze wormen wat buikpijn, maar meest-al is jeuk aan de anus de enige klacht.

Behandeling
Een behandeling met een wormmiddel als mebendazol (Vermox®) is effectief: 1 maal 1 tablet, na 14 dagen herha-len. Mede door goede hygiëne, zoals nagels knippen en handen wassen, raken de meeste mensen hun wormen op den duur ook vanzelf wel kwijt, zonder behandeling met een wormmiddel.

Bilharzia-wormen**

Dit zijn typisch tropische wormen, omdat de tussengast-heren, bepaalde zoetwaterslakken, alleen daar voorkomen. 'Bilharzia' is de naam die reizigers meestal gebruiken; de infectie heet schistosomiasis. De afwijkingen die schistoso-miasis veroorzaakt zijn het gevolg van weefselreacties op wormeieren die in bepaalde organen blijven steken.

Wie in Afrika wil gaan zwemmen in een riviertje of meer, moet zich realiseren dat vrijwel al dit water, ook al heeft het de reputatie 'vrij' te zijn, met 'bilharzia' besmet kan zijn. Twee soorten zijn vooral van belang:

Schistosoma mansoni**

Komt voor in praktisch geheel Afrika en in delen van La-tijns-Amerika, onder andere Suriname. De volwassen wor-men, enkele centimeters lang, leven in bloedvaten rond de dikke darm. Hun eieren moeten door de darmwand heen en via de ontlasting in oppervlaktewater terechtkomen. Het dan vrijkomende larfje infecteert een slak. Uit die ge-infecteerde slakken komen ten slotte wormlarven te voor-schijn, die een tijdje rondzwemmen op zoek naar een nieuwe gastheer.

Symptomen

De mens wordt besmet doordat larven door de huid heen-dringen. Zware infecties kunnen op den duur ernstige buikklachten en leverafwijkingen geven. Dat komt door een weefselreactie (te vergelijken met een litteken) op de eieren, die niet uitgescheiden worden, maar ergens in het lichaam blijven steken. Bij Europeanen, die meestal maar sporadisch contact met besmet water hebben (gehad), vindt men vooral lichte infecties met weinig of geen klachten. Zij hebben ook weinig kans op ernstige orgaanbeschadigingen. Lichte infecties worden tegenwoordig vaak opgespoord door middel van een antistoftest in het bloed.

Schistosoma haematobium**

Komt voor in het grootste deel van Afrika en op enkele plaatsen in het Midden-Oosten. De wormen huizen in bloedvaten rond de blaas en hun eieren komen met de urine naar buiten. De cyclus verloopt verder als bij *Schistosoma mansoni*.

Symptomen

De wormdrager krijgt bloed in zijn urine en klachten bij urineren en op den duur soms ernstige afwijkingen aan blaas en nieren. Ook hier geldt weer: hoe lichter de infectie, des te minder kans op belangrijke ziekteverschijnselen.

Behandeling bilharzia

Vaccinatie tegen bilharzia is niet mogelijk. Wel kan de ziekte thans met praziquantel (Biltricide®), veel beter en met minder bijwerkingen dan vroeger, behandeld worden.

Soms ontstaat een reactie op de wormen die zich in het lichaam ontwikkelen: een soort overgevoeligheidsreactie. Deze doet zich voor ongeveer 4 tot 6 weken na het watercontact. De reactie gaat gepaard met koorts (soms hoog en langdurig), huidverschijnselen (netelroos/urticaria, een dik oog), hoest, soms diarree. In deze fase zijn er nog geen eieren in de urine of ontlasting. Wel kan men antistoffen tegen de schistosomen aantonen in het bloed. Deze reactie wordt 'Katayama-syndroom' genoemd. Ze kan zich bij alle vormen van bilharzia voordoen.

Filaria-wormen

Filaria-wormen zijn draadvormige wormen die men alleen in de tropen kan oplopen, omdat de insecten die de infectie overbrengen alleen daar voorkomen. Wanneer men spreekt van filariasis (in de volksmond 'filaria' of 'filaire'), bedoelt men daar meestal mee: de *Wuchereria bancrofti*-infectie, maar soms ook de *Onchocerca volvulus* of de *Loiasis*.

Behandeling
Filaria-infecties worden vanwege de mogelijke bijwerkingen alleen door specialisten behandeld met diethylcarbamazine (Hetrazan®, Notézine®) en ivermectine.

Wuchereria bancrofti*
Komt bijna overal in de tropen en soms ook in de subtropen voor. De volwassen wormen, die 4 tot 8 cm lang zijn, huizen in lymfevaten en lymfeklieren en hun larven (microfilariën) zwermen uit in het bloed, vooral na zonsondergang. Wanneer bepaalde tropische muggen een wormdrager steken, zuigen zij ook de microfilariën op. Bij een later bloedmaal kunnen zij een nieuwe gastheer besmetten.

Symptomen
Doordat lymfevaten en lymfeklieren, vooral in de liesstreek, geblokkeerd raken door weefselreacties rondom afgestorven wormen, kunnen op den duur de beruchte olifantsbenen ontstaan en allerlei afwijkingen aan de geslachtsorganen. Europeanen worden vrijwel nooit lang en ernstig genoeg geïnfecteerd om dit soort verschijnselen te krijgen. Voor hen is deze vorm van filariasis dus geen werkelijk probleem.

Onchocerca volvulus (rivierblindheid)*

Komt alleen voor in tropisch Afrika en enkele delen van
Latijns-Amerika. De vrouwelijke wormen kunnen 50 cm
lang worden. De volwassen wormen leven in het onder-
huids weefsel en hun microfilariën vindt men alleen in de
huid. Een steekmugje (*Simulium*, soms ten onrechte 'vlieg-
je' genoemd) brengt de infectie over van mens op mens.

Symptomen

Bij zware infecties kunnen uitgebreide huidafwijkingen
ontstaan en ook oogafwijkingen, tot blindheid toe. Men
spreekt wel van rivierblindheid omdat het mugje en dus
ook de ziekte vooral voorkomt langs bepaalde rivieren.
Bij Europeanen, die meestal slechts licht geïnfecteerd raken, komen oogklachten zelden voor. Wel krijgen zij vaak
jeuk en wat eczeemachtige plekken, ongeveer een jaar
nadat zij geïnfecteerd zijn. Wie in een onchocerciasis-ge-
bied is geweest moet bij chronische huidklachten, vooral
bij jeuk, aan deze worminfectie denken.

Loiasis (Loa loa)*

Komt alleen voor in enkele landen van West- en Centraal-
Afrika. De wormen, die circa 4 cm lang zijn, zwerven on-
derhuids door het lichaam en komen daarbij soms ook in
het oog terecht, waar zij tijdens hun passage soms een uur
lang zichtbaar zijn. Dit veroorzaakt alleen maar wat tijdelijke irritatie van het oog. Soms treden huidzwellingen op,
met name aan onderbeen of pols (Calabar-zwelling), die
kunnen doen denken aan reuma. Na enige dagen verdwijnen ze vanzelf. De microfilariën die in het bloed zitten
worden van mens op mens overgebracht via de steek van
bepaalde vliegen (*Chrysops*). Gevaarlijk is de loiasis niet.

Larva migrans**

Larva migrans is een huidaandoening die wordt veroorzaakt door larven van mijnwormen, die eigenlijk thuishoren bij honden en katten.

Symptomen
Wordt per ongeluk een mens geïnfecteerd, wat bijvoorbeeld vaak gebeurt op een strand dat ook door honden wordt bezocht en bevuild, dan ontstaan vanaf de plaats waar de larven de huid zijn binnengedrongen jeukende, langzaam voortkruipende huidgangetjes (*creeping eruption*).

Behandeling
De aandoening verdwijnt na weken tot maanden vanzelf doordat de larven afsterven, omdat zij in een verkeerde gastheer terecht zijn gekomen en nooit verder komen dan de huid. Met bepaalde wormmiddelen (zoals tiabendazol, Mintezol®) kan men dit natuurlijke verloop versnellen. Een gemakkelijke behandeling die geen bijwerkingen geeft, is de plek insmeren met een zalf waarin een vergruisde wormtablet is verwerkt.

Lintwormen

Lintwormen treft men op veel plaatsen in de tropen massaal aan bij de lokale bevolking. In principe hebben lintwormen twee opeenvolgende gastheren: een definitieve gastheer die de volwassen worm(en) herbergt en een tussengastheer met het larvestadium. Voor de mens zijn vooral vier lintwormsoorten van belang:

Taenia saginata*

Gastheer: mens, tussengastheer: rund. De volwassen worm, die 10 meter lang kan worden, bestaat uit een kop en een groot aantal segmenten, zogenaamde proglottiden. De eindsegmenten worden regelmatig afgestoten en komen met de ontlasting naar buiten. Ze zijn daarin zichtbaar als beweeglijke platte stukjes worm van twee bij een halve cm. Wanneer eieren uit die proglottiden worden opgegeten door een rund, ontwikkelt zich in zijn spieren het larvestadium van de worm. De mens wordt geïnfecteerd door het eten van onvoldoende verhit besmet rundvlees. Deze vorm komt ook in Nederland voor.

Symptomen

De meeste lintwormdragers hebben geen enkele klacht. Sommigen hebben wat buikpijn.

Behandeling

De behandeling is eenvoudig met niclosamide (Yomesan®) of praziquantel (Biltricide®).

Taenia solium*

Gastheer: mens, tussengastheer: varken. Deze worm, die 3 meter lang wordt, komt in Nederland niet voor. De cyclus is vergelijkbaar met die van *Taenia saginata*. Men wordt besmet door het eten van onvoldoende verhit vlees van varkens of wilde zwijnen die in hun spieren het larvestadium herbergen.

Symptomen

Ook deze lintworm geeft zelden klachten. Toch kan hij gevaarlijk zijn omdat de mens naast gastheer ook tussengastheer kan worden. Dan komen de larven in allerlei lichaamsdelen terecht, waar zich vervolgens knobbeltjes ontwikkelen. Als dit bijvoorbeeld gebeurt in de hersenen, dan kan dat epilepsie (vallende ziekte) veroorzaken. Dit komt bij Europeanen zelden voor.

Behandeling

De behandeling van de volwassen lintworm in de darm is eenvoudig met niclosamide (Yomesan®) of praziquantel (Biltricide®). Behandeling van de infectie in het larvestadium (cysticercose geheten) is moeilijk en geschiedt door specialisten.

Hymenolepis nana**

Gastheer: mens (of muis), tussengastheer: mens (of vlo). Een lintwormpje van maar 2 cm lang dat een hele cyclus buiten de mens om kan doormaken, maar waarvan deze ook zowel de gastheer als de tussengastheer kan zijn zonder dat hij daar veel van merkt. Beide stadia vindt men bij de mens alleen in de darmen. Men kan geïnfecteerd worden door het eten van besmet voedsel.

Symptomen

Soms veroorzaken deze wormpjes wat buikpijn en diarree.

Behandeling

Met praziquantel (Biltricide®).

Echinococcus granulosus (blaasworm)*

Gastheer: hond, tussengastheer: schaap. Normaliter is de mens niet opgenomen in de cyclus van deze worm, maar door het doorslikken van eieren kan hij tussengastheer worden. Het larvestadium kan zich ontwikkelen in diverse organen, vooral in de lever, en daar ernstige afwijkingen geven (*hydatide cyste*). Deze infectie komt nog wereldwijd voor, niet meer van nature in Nederland. Europeanen in de tropen worden slechts zelden geïnfecteerd.

Behandeling
Met albendazol (Zentel®).

Mijnwormen**

De twee mijnwormsoorten die bij de mens voorkomen als darmparasiet heten *Ancylostoma duodenale* en *Necator americanus*. Zij zijn 1 cm lang en zitten vast aan het slijmvlies van de dunne darm, waar zij kleine wondjes maken met als gevolg bloedverlies. Wanneer ontlasting met eieren op de grond terechtkomt, kruipen de larven eruit. Een nieuwe gastheer wordt besmet doordat larven via de huid naar binnendringen bijvoorbeeld bij het lopen op blote voeten.
Europese kinderen die blootsvoets lopen of spelen op grond die fecaal besmet is, krijgen wel eens mijnwormen binnen, maar zelden zoveel dat daardoor bloedarmoede ontstaat. Dat gebeurt alleen bij zware infecties, die onder de lokale bevolking vaak voorkomen. Zonder herinfectie van buitenaf verdwijnt deze worminfectie vanzelf in enkele jaren.

Behandeling
Met mebendazol (Vermox®).

Spoelwormen**

Spoelwormen (*Ascaris lumbricoides*) zijn lichtroze wormen, die circa 30 cm lang en 5 mm dik zijn. Zij leven in de dunne darm waar de vrouwtjes eieren leggen die met de ontlasting mee naar buiten komen. De eieren zijn pas 'besmettelijk' nadat zij enkele weken in de natuur hebben kunnen rijpen (embryoneren). Uit elk rijp ei dat wordt doorgeslikt kan weer een nieuwe worm ontstaan. Deze cyclus zal zich in Nederland maar zelden kunnen voltrekken, maar in de tropen kan men geïnfecteerd worden door het eten van fecaal besmet voedsel, bijvoorbeeld ongekookte groenten.

Symptomen
Soms krijgt u de wormen zelf te zien: zij kunnen met ontlasting of braaksel mee naar buiten komen of spontaan uit de anus kruipen. Dat komt nogal eens vlak na aanvang van de behandeling voor, omdat de worm daardoor gaat zwerven. Wie er niet op bedacht is en zoiets voor het eerst ziet, kan erg schrikken; het is echter volstrekt ongevaarlijk.
Inheemse kinderen hebben soms tientallen of honderden spoelwormen. Zulke zware infecties geven buikpijn, diarree, gebrek aan eetlust en soms zelfs afsluiting van een stuk darm. Lichte infecties geven echter zelden klachten.

Behandeling
Spoelwormen kunnen slechts 1 à 2 jaar leven. Daarna worden zij met de ontlasting vanzelf geëlimineerd. Wanneer men niet van buitenaf opnieuw geïnfecteerd wordt (door het doorslikken van nieuwe eieren) is men dus na hooguit 2 jaar zijn wormen kwijt. Men kan dit proces versnellen met mebendazol (Vermox®).

Strongyloides stercoralis**

Dit is een worm waarvoor geen Nederlandse naam bestaat; men spreekt wel eens van 'Birma-worm'. De volwassen wormen zijn slechts 2 mm lang en huizen in de dunne darm. In tegenstelling tot andere wormen kunnen zij zich in de mens vermenigvuldigen en zodoende levenslange infecties geven.

Sommige Nederlanders die in de Tweede Wereldoorlog aan de Birma-spoorweg werkten, hadden, toen wij daar onderzoek naar deden, in 1988 deze worm nog in hun darm. In de ontlasting vindt men bij onderzoek met de microscoop geen eieren maar larven. Men wordt besmet op dezelfde wijze als bij mijnwormen, namelijk doordat larfjes vanuit de grond door de intacte huid binnen dringen. Meestal zijn er geen klachten. Sommige wormdragers hebben diarree en buikpijn of netelroosachtige huidafwijkingen.

Symptomen

Wanneer bij een routine bloedonderzoek een lichte bloed-afwijking, *eosinofilie,* wordt gevonden, die wijst op een worminfectie, is deze nogal eens te wijten aan een strongy-loides-infectie.

Behandeling

Met tiabendazol (Mintezol®) en ivermectine.

Zweepwormen***

Zweepwormen (*Trichuris trichiura*) zijn wormpjes van 4 cm lengte, die in de dikke darm huizen. Hun eieren, die met de ontlasting naar buiten komen, moeten (evenals spoelworm-eieren) enkele weken rijpen in de vrije natuur voordat zij zich, na doorgeslikt te zijn, in de darm kunnen ontwikkelen tot volwassen wormen. Besmetting geschiedt op dezelfde manier als bij spoelwormen.

Symptomen
Zware infecties, dat wil zeggen infectie met duizenden wormen, kunnen buikpijn en diarree geven. De lichte infecties die vaak bij Europeanen in de tropen worden gevonden, hebben geen betekenis.

Behandeling
Na enkele jaren raakt men de wormen geleidelijk vanzelf kwijt. Ook kunt u mebendazol (Vermox®) gebruiken.

HOOFDSTUK 6

Huidziekten

De huid is in de tropen een kwetsbaar lichaamsdeel. De zon is in de tropen heel fel en niet iedere huid kan even goed tegen de zon (zie blz. 31).

Kleine huidwondjes, bijvoorbeeld insectenbeten, raken in de tropen gemakkelijk geïnfecteerd en kunnen uitgroeien tot hardnekkige zweren. Als die niet reageren op uitwendige behandeling, kan men het beste enige dagen een antibioticum-preparaat slikken, zoals erythro- of clarithromycine gedurende 5 dagen. Goede huidhygiëne kan veel narigheid voorkomen: liefst regelmatig wassen met niet te veel zeep, waarna men zich goed moet afdrogen. Ook doet men er goed aan elke wond, hoe klein ook, onmiddellijk met jodium te ontsmetten en met een pleister of verbandje te bedekken. Zie ook Huisapotheek, blz. 25-26.

Huidziekten voorzien van * worden bij reizigers/ *expatriates* heel weinig aangetroffen; ** betekent regelmatig aangetroffen en *** vaak.

FRAMBOESIA EN LEPRA

Framboesia en lepra kwamen vroeger uitgebreid voor maar zijn beide met name door antibiotische behandeling sterk teruggedrongen. Voor Europeanen vormen zij geen risico.

LEISHMANIASIS**

Deze aandoening wordt gekenmerkt door diepe, chronische huidzweren en komt in veel (sub)tropische landen voor. De infectie wordt overgebracht door de steek van een *Phlebotomus*-mugje (*sandfly*). Met name in het Midden-Oosten, rond de Middellandse Zee en in Suriname (waar men spreekt van *bosyaws*) worden Nederlanders wel eens besmet. Er zijn goede geneesmiddelen tegen.

MYIASIS**

Myiasis is het verschijnsel, waarbij vliegenlarven zich in de huid van mens of dier ontwikkelen tot iets wat op een steenpuist lijkt. Bij uitdrukken komt er dan geen etter maar een larve uit, die enkele centimeters lang kan zijn. De vliegen die hiervoor verantwoordelijk zijn leggen hun eieren soms op wasgoed, dat op de grond of aan een waslijn gedroogd wordt. Door het wasgoed te strijken kan men voorkomen dat levende eieren en larven op de huid komen. Als men een dergelijke 'puist' in Afrika krijgt is het zinnig een beetje vaseline of boter op de opening te smeren en twee uur te laten zitten. Het larfje krijgt dan ademnood en komt vaak een beetje naar buiten, zodat het er uitgedrukt kan worden. Bij de Latijns-Amerikaanse vorm van myiasis lukt dat niet altijd snel; met geduld en enkele malen vaseline opsmeren lukt het vaak wel. Deze aandoeningen zijn onschuldig.

PRICKLY HEAT**

Prickly heat is een veel voorkomende huidaandoening, vooral in een vochtig-heet klimaat. Het bestaat uit jeukende rode pukkels en vlekken, vooral op huidgedeelten die door kleding bedekt zijn, maar soms, vooral bij baby's, over de hele huid.

Behandeling
Luchtige en niet-knellende kleding, regelmatig douchen en goed afdrogen, talkpoeder of gewone babypoeder, voorkomt en geneest deze lastige aandoening meestal. Een goed en veel gebruikt smeerseltje is calamine-lotion. Bij langer verblijf in de tropen krijgt u steeds minder last van prickly heat, wat ook wel 'rode hond' wordt genoemd (niet te verwarren met de besmettelijke ziekte rodehond).

SCHIMMELS**

Schimmels houden van warmte en vochtigheid en dus ook van de tropen; het bekende 'zwemmerseczeem' tussen de tenen verergert er vaak, maar ook op andere plaatsen, vooral waar huid tegen huid komt, zoals in liezen, oksels en onder de borsten krijgt u gemakkelijk een schimmelinfectie: rode jeukende plekken, soms in de vorm van een ring (ringworm). Houd deze plaatsen zoveel mogelijk droog.

Symptomen
De meest voorkomende schimmelinfectie *Pityriasis versicolor* (in Indonesië *panu*, in Suriname *lota* genoemd) bestaat uit kleine licht-schilferende lichte vlekken vooral op borstkas, schouders, bovenarmen en rug. Het is een on-

schuldige aandoening die niet jeukt. In de tropen heeft behandeling weinig zin omdat u toch steeds opnieuw besmet wordt. Laat de vlekken rustig zitten. Na terugkeer in Nederland verdwijnen ze waarschijnlijk vanzelf.

Behandeling

Als u deze infectie toch wilt behandelen (selsum-lotion) moet het hele lichaam ingesmeerd worden, ook daar waar u de infectie niet ziet. Vaak moet de behandeling langdurig, tot enige weken, worden voortgezet. Zie ook Huisapotheek, blz. 25-26.

SCHURFT, (MIJTEN, 'GRASLUIZEN')**

Mijten (kleine teken) kunnen lastige jeukende huidafwijkingen geven. De meest bekende is de schurftmijt, die scabiës (schurft) veroorzaakt. Zwangere vrouwtjes boren een gangetje in de huid, waarin zij hun eieren deponeren. Scabiës gaat gemakkelijk van mens op mens over, zodat het vaak nodig is alle huisgenoten te behandelen met een anti-scabiësmiddel, bijvoorbeeld neo-scabicidol.

Een soort mijt die onder andere in Suriname (grasluis, *patataloso*) en omringende landen veel voorkomt, veroorzaakt een jeukende huiduitslag vooral op plaatsen waar kleren nauw aansluiten aan de huid (enkels, liezen, onder de broekband). Ook lang nadat de mijten zelf verdwenen zijn, kunnen jeuk en huiduitslag blijven bestaan. Anti-jeukmiddelen zijn de enige therapie (zie Huisapotheek, blz. 25-26).

Vlooien en luizen*

In de tropen zijn luizen en vlooien de oorzaak van jeukende huiduitslag. Men doet ze op in een niet-hygiënische omgeving zoals vieze hotels. Schaamluizen doet men op bij seksueel contact. Vlooien zijn meestal afkomstig van huisdieren (honden, katten, vogels, et cetera). Malathion- of lindaan-lotions zijn effectief tegen luizen. Voor hoofdluis is de 'netenkam' nog steeds nuttig. Tegen vlooien helpen goede hygiëne en middelen waarmee men de huisdieren behandelt.

WORMEN

Wormen die huidafwijkingen kunnen geven zijn *Onchocerca volvulus,* strongyloides en larva migrans. Zie hoofdstuk 5 (blz. 74).

ZANDVLOOIEN*

Zandvlooien (*Tunga penetrans*) zijn op vele plaatsen in Afrika en Latijns-Amerika lastige huidparasieten. De zwangere vrouwtjesvlo boort zich in de huid, vooral van de voeten (vaak onder een nagel) en ontwikkelt zich daar tot een erwtgroot hard knobbeltje. Met een steriele naald kan dit eruit gehaald worden. Loop niet op blote voeten of sandalen in zandige gebieden in de omgeving van en in dorpen waar deze vlo (ook wel *chigger*, *jigger* of *chigoe flea* genaamd) veel voorkomt. De lokale bevolking weet vaak waar deze vlooien zitten.

HOOFDSTUK 7

Andere ziekten

Ziekten voorzien van een * worden bij reizigers/*expatriates* heel weinig aangetroffen; ** betekent regelmatig aangetroffen, *** vaak.

BRUCELLOSE*

Brucellose (maltakoorts) is een chronische ziekte met koorts, die wordt veroorzaakt door *Brucellae*, een soort bacteriën. De mens wordt geïnfecteerd door het consumeren van ongepasteuriseerde melk of kaas die afkomstig is van koeien of geiten met brucellose van de uiers. De aandoening komt wereldwijd voor, niet in Nederland.

Symptomen
De koorts heeft een golvend verloop, kan maanden duren en kan onder andere gepaard gaan met hoofd-, rug- en gewrichtspijnen en soms met depressies.

Behandeling
Met antibiotica is de ziekte in een vroeg stadium vlot te genezen; in een laat stadium kan een lange behandeling nodig zijn.

DENGUE**

Dengue of knokkelkoorts komt in veel landen in de (sub)

tropen voor. De ziekte wordt veroorzaakt door een virus en overgebracht via muggen (Aedes-muggen) die vooral overdag steken. De mug houdt zich binnen schuil in kasten en op andere donkere plaatsen. Aedes-muggen broeden in allerlei waterhoudende voorwerpen, in de zon en in de schaduw. Voorkeursplekken zijn vaten, potten, vazen, watertanks, spoelbakken, flessen, blikjes en andere plaatsen waar water in blijft staan of wordt opgeslagen.

Er komen twee vormen van dengue voor: dengue-koorts en dengue hemorrhagische koorts. Dengue-koorts is een ziekte met griepachtige verschijnselen. De ziekte treedt vooral op bij oudere kinderen en volwassenen. Deze infectieziekte is zelden dodelijk. Dengue hemorragische koorts heeft een ernstiger verloop met bloedingen en 'shock' en kan dodelijk zijn. Bij Europeanen is deze vorm uitzonderlijk.

Preventie

Tegen dengue bestaat geen vaccinatie of preventief geneesmiddel. Wel zijn er twee andere belangrijke manieren om dengue te voorkomen:

• Bescherming tegen muggenbeten (zie blz. 44)
• Eliminatie van muggenbroedplaatsen.

Symptomen

Dengue-koorts verloopt als een soort griep. Plotseling hoge koorts, ernstige voorhoofdspijn, pijn achter de ogen, spier- en gewrichtspijn, huiduitslag op borst en armen, misselijkheid en braken. Gevaarlijk is de ziekte meestal niet, maar het kan lang duren voordat u zich weer helemaal fit voelt. Wordt u echter opnieuw geïnfecteerd, bijvoorbeeld tijdens een nieuwe reis, dan kan de ziekte een ernstiger verloop

hebben: bleke, klamme huid, bloedneus, bloedend tand-
vlees, slaperigheid en rusteloosheid.

Het is daarom aan te raden om met een (tropen)arts in
Nederland contact op te nemen als u in de tropen een
ziekte heeft doorgemaakt, die aan dengue deed denken en
als u weer van plan bent naar de tropen te gaan.

GELE KOORTS* (zelden tot nooit)

Deze ziekte wordt veroorzaakt door een virus en overgebracht door de steek van bepaalde muggensoorten. De
ziekte komt voor in tropisch Afrika en Latijns-Amerika,
niet in Azië (kaarten blz. 18-19). De kans dat vakantiegangers die gevaccineerd zijn deze ziekte oplopen, is *zeer* gering.

Preventie
Tegen gele koorts bestaat een vaccin. Voor veel landen is
een vaccinatiebewijs zelfs verplicht.

Symptomen
Gele koorts is een soort geelzucht met hoge koorts die vaak
dodelijk verloopt.

GESLACHTSZIEKTEN**

Wie in Nederland een geslachtsziekte krijgt, zal meestal
snel behandeld worden, maar in de tropen blijven veel
mensen er onbehandeld mee rondlopen. Zij zijn besmettelijk voor anderen. Bij geslachtsverkeer met een onbekende
is de kans op het oplopen van een zogenaamde seksueel-
overdraagbare (venerische) ziekte in de tropen dus veel groter dan hier.

KALA AZAR*

Kala azar (leishmaniasis van de inwendige organen) wordt veroorzaakt door een micro-organisme dat verwant is aan de verwekker van huid-leishmaniasis (zie blz. 89) en dat wordt overgebracht via de steek van een *Phlebotomus*-mugje (in het Engels *sandfly*, hoewel het een mugje is).

Symptomen
Het is een chronische ziekte met onregelmatige koorts, bloedarmoede en afwijkingen aan diverse organen, vooral een grote milt. Onbehandeld is het verloop vaak dodelijk. De ziekte komt voor in veel (sub)tropische landen, ook bijvoorbeeld in de landen rond de Middellandse Zee, maar Europeanen in de tropen lopen haar zelden op.

RICKETTSIOSEN**

Rickettsiosen (onder andere vlektyfus en tekenbeetkoorts) is de verzamelnaam voor een aantal vlektyfusachtige ziekten, die worden veroorzaakt door *Rickettsiae*. Dit zijn zeer kleine micro-organismen, die worden overgebracht via luizen (de klassieke vlektyfus), vlooien, teken of mijten. Van deze groep komt de vorm die door teken wordt overgebracht (tick-typhus, tekenkoorts of tekenbeetkoorts) verreweg het meeste voor, ook bij Europeanen in de tropen. De ziekte komt voor in landen rond de Middellandse Zee, Afrika, vooral Oost- en zuidelijk Afrika, en in India. Ticktyphus is meestal een vrij onschuldige ziekte.

Symptomen
De koorts die gepaard gaat met een vlekkige huiduitslag

duurt enkele dagen en verdwijnt weer vanzelf. Op de plaats van de tekenbeet ontstaat een puist met een zwarte korst. Tevens krijgt men opgezette pijnlijke lymfeklieren.

Behandeling
Met antibiotica (tetracycline of doxycycline) verloopt de genezing vlotter.

SLAAPZIEKTE*

Afrikaanse slaapziekte (trypanosomiasis) wordt veroorzaakt door bepaalde bloedparasieten (*Trypanosoma*) en overgebracht via de steek van de tseetseevlieg die alleen in tropisch Afrika voorkomt.

Symptomen
Het is een ziekte met onregelmatige koorts, klierzwellingen, huidafwijkingen en ten slotte psychische veranderingen en coma.
In West-Afrika verloopt de ziekte langzaam en treedt na vele maanden (of nog langer) de dood in. In Oost-Afrika gaat het veel sneller en kan men binnen enkele maanden aan de ziekte overlijden. Bij Europeanen komt slaapziekte zelden voor. Verreweg de meeste tseetseevliegen zijn niet geïnfecteerd en dus ongevaarlijk. Mits op tijd behandeld geneest een slaapziektepatiënt volledig. De behandeling geschiedt door specialisten.

ZIEKTE VAN CHAGAS* (zelden tot nooit)

Deze alleen in Latijns-Amerika voorkomende ziekte wordt veroorzaakt door een soort trypanosoom (parasiet) en overgebracht via wantsen (een soort kever) die vooral te vinden zijn in de primitieve huizen van de arme Latijns-Amerikaanse bevolking. Een programma om de ziekte terug te dringen verloopt goed. *Ook door bloedtransfusie kan de parasiet worden overgebracht.*

Symptomen
Het is een chronische ziekte, die gepaard gaat met onregelmatige koorts en die onder andere hartafwijkingen kan geven.

Behandeling
Er zijn nog geen goede medicijnen tegen deze ziekte. Europeanen worden zeer zelden geïnfecteerd, omdat zij niet in de primitieve nachtverblijven op het platteland slapen. Als dat toch moet, slaap dan onder een muskietennet (klamboe) dat bewerkt is met insecticide (permethrin) en gebruik een insecticide tegen de wantsen (zie blz. 44).
Onbehandeld kunnen zich nog vele jaren later verschijnselen voordoen.

HOOFDSTUK 8

Het voorkómen van aids

Reizigers naar de tropen en Oost-Europa moeten rekening houden met aids, ook al behoort u niet tot de in Nederland bekende 'risicogroepen'.

Aids komt in Centraal- en Oost-Afrika veel voor en verbreidt zich nog steeds snel. Ook in andere delen van Afrika is het een steeds groter probleem, evenals in het Caribisch gebied, Latijns-Amerika, Azië en Oost-Europa.

De belangrijkste boodschap is en blijft: veruit het grootste risico op besmetting loopt u door seksuele contacten. De andere risico's zijn zo klein, dat aids geen reden moet zijn om niet naar landen te gaan waar deze ziekte veel voorkomt.

Vermijd onnodige, maar mogelijke risico's als tatoeage, acupunctuur, oorlelprikken en dergelijke. Vermijd injecties.

ALGEMENE GEGEVENS

Aids (= *acquired immune deficiency syndrome*) is een ziekte, die veroorzaakt wordt door een virus (het HIV, humaan immuno deficiëntie virus). Het aids-virus beschadigt het afweersysteem van het lichaam, waardoor het weerstandsvermogen tegen infecties verloren gaat.

Het virus circuleert in het menselijk bloed, maar is bijvoorbeeld ook in sperma, in vaginaal vocht en in moedermelk aangetoond.

Het kan van mens tot mens worden overgebracht op de volgende manieren:

1. Via geslachtsgemeenschap; *dit is veruit de belangrijkste manier.*

Alleen werkelijk seksueel contact (zowel homo- als heteroseksueel) geeft een kans op besmetting. Een condoom geeft bescherming, maar alleen indien het niet scheurt of afglijdt;

2. Via bloedtransfusies;

3. Via injecties met besmette naalden en spuiten;

4. Via tandheelkundige ingrepen en bijvoorbeeld via tatoeages met besmette instrumenten.

Insecten brengen het virus niet over.

Normaal lichamelijk contact, zoals het handen geven, aanraken en zoenen, geeft geen kans op besmetting. Het gezamenlijk gebruik van borden, bestek en kleding geeft, zeker indien de normale hygiënische regels zoals afwassen en dergelijke in acht worden genomen, evenmin kans op besmetting. Gezamenlijk gebruik van tandenborstels en scheergerei moet worden afgeraden, al zal de besmettingskans klein zijn.

Wie eenmaal met het virus is besmet, blijft het virus bij zich dragen. Er bestaat geen behandeling die het virus in het lichaam vernietigt of het eruit verwijdert. Als u met het virus besmet is, kunt u de infectie op anderen overbrengen, *ook al voelt u zich volledig gezond.*

Men merkt meestal aanvankelijk niets van een infectie, maar sommigen krijgen het acute 'HIV-syndroom' met koorts en huiduitslag. Wellicht ontwikkelt iedereen op den duur de ziekte, maar dat is niet zeker. De tijd tussen besmetting en ziekte kan variëren van maanden tot meer dan 5 jaar.

Tegen de ziekte aids is tot op heden geen definitief genezende behandeling mogelijk al geeft de moderne combinatiebehandeling wel aanzienlijke verbetering van klachten en vermindering van infecties. Patiënten leven nu veel langer dan bijvoorbeeld vijf à tien jaar geleden. De ziekte leidt evenwel nog vrijwel altijd tot de dood. De enig mogelijke bescherming ligt in het voorkomen van een infectie.

AIDS IN DE TROPEN

Vooral in Afrika en met name in Centraal-, Oost- en West-Afrika blijkt een aanzienlijk deel van de bevolking in de leeftijd tussen 15 en 45 jaar besmet te zijn met het virus en het aantal besmettingen neemt snel toe. Dit geldt ook voor gebieden in Latijns-Amerika en het Caribisch gebied. Meer recentelijk is duidelijk geworden dat de infectie nu ook snel om zich heen grijpt in Azië en Oost-Europa. En het gaat hier zeker niet uitsluitend om gebieden die bekend staan om het 'sekstoerisme'.
Er zijn waarschijnlijk geen landen waar het virus niet voorkomt. Vooral in de armere ontwikkelingslanden in Afrika, maar niet alleen daar, bestaan onvoldoende mogelijkheden voor het testen van bloeddonors of bloed voor bloedtransfusies op de aanwezigheid van het aids-virus.
Over het algemeen bestaat er een tekort aan injectienaalden en -spuiten, die daarom vaak meerdere malen gebruikt worden, soms na onvoldoende sterilisatie.

AANBEVELINGEN

Op grond van al deze gegevens wordt de reiziger naar de tropen en Oost-Europa het volgende aangeraden:

1. Seksuele contacten

Vermijd *alle* seksuele contacten met onbekende partners. Indien men toch een seksueel contact heeft, dan moet de man bij geslachtsverkeer een condoom gebruiken. Het is raadzaam om uit Nederland condooms mee te nemen. Condooms zijn niet altijd gemakkelijk te verkrijgen of misschien niet van goede kwaliteit. Condooms kunnen door ultraviolet (zon)licht en grote hitte beschadigd worden en moeten dus in het donker worden bewaard.

Voor meer informatie over seksueel contact, zowel homo- als heteroseksueel, kan men terecht bij instanties zoals GGD, Rutgersstichting of COC.

2. Ziekenhuisopname en ongelukken

Indien u in de tropen voor een ziekte behandeld moet worden, moet u erop aandringen dat middelen worden voorgeschreven die geslikt kunnen worden, zoals tabletten en capsules. *Dit zal bijna altijd mogelijk zijn.*

U kunt overwegen om zelf uit Nederland steriele naalden en spuiten mee te nemen. U moet zich echter wel realiseren dat met name in Afrika het aids-probleem zeer gevoelig ligt, onder andere omdat soms gedacht wordt dat het virus vanuit Amerika en Europa naar Afrika is overgebracht. Hierdoor kunt u zeer gemakkelijk beledigend overkomen in een situatie waarin u hulp nodig heeft.

U moet proberen zonder agressief te worden het probleem te bespreken. Vraag bijvoorbeeld of er behoefte bestaat aan het injectiemateriaal dat u meegenomen heeft. Vaak zal dat het geval zijn, omdat er immers een tekort aan deze materialen is. Uw aanbod zal dan dankbaar aanvaard worden.

Indien u injectiespuiten en -naalden meeneemt, is het aan te raden deze met een recept aan te schaffen *en dat recept erbij te bewaren.* Dit om mogelijke problemen aan de grens te voorkomen. (Men zou u van druggebruik kunnen verdenken!)

Als leidraad voor zo'n recept kan het volgende dienen: 5 spuiten van 2 cc; 5 spuiten van 5 cc en eventueel; 1 of 2 spuiten van 10 cc en 20 naalden voor intramusculair gebruik. (Intramusculair wil zeggen: voor injecties in de spieren; deze naalden zijn ook voor andere soorten injecties, bijvoorbeeld in de aderen, geschikt.)

De aantallen hangen uiteraard af van het aantal mensen en de verblijfsduur, maar neem altijd tweemaal zoveel naalden mee als injectiespuiten (voor het opzuigen, voor laten vallen enzovoort).

De langverblijver/*expatriate* kan ook een doos plastic handschoenen meenemen voor het verlenen van hulp bij een ongeval met een kans op bloedcontact. (Die kans is overigens heel klein.)

Het meenemen van bloed voor een eventuele transfusie is om een aantal redenen niet aan te raden. Bloedtransfusies zullen *zeer zelden* nodig zijn. Veelal alleen in een noodsituatie waarop u zelf zeer weinig invloed zult kunnen uitoefenen. Als een bloedtransfusie echt nodig is, gaat het om tenminste $1^1/_2$ liter bloed. Het meenemen van 500 cc bloedvervangingsproduct, zoals wel wordt aangeraden, is weinig zinvol en alleen nuttig als u ook met het materiaal om kunt gaan. *Belangrijk is dat u een goede reisverzekering afsluit, inclusief repatriëring, dat men kan weten met wie contact op te nemen in Nederland.* Bij een ongeval is het meestal het verstandigst direct contact op te nemen met de Nederlandse ambassade of advies te vragen in Nederland. Repatriëring is meestal het beste.

Indien u met een groep reist kan overwogen worden om

van alle deelnemers aan de reis de bloedgroep te laten bepalen, zodat u mogelijke donors bij de hand heeft. Vanuit Nederland kunnen bovendien altijd snel producten worden aangevoerd.

Aangezien bij ernstige malaria bloedarmoede optreedt, is dit een extra argument om zich tegen deze ziekte zo goed mogelijk te beschermen. Laat u hierover voorlichten.

LANG VERBLIJF

Zoals diverse malen benadrukt is de grootste kans op besmetting met het aids-virus door seksuele contacten. Daarna volgen ongevallen met de kans op ziekenhuisopname, injecties, bloedtransfusie en eventueel een operatie. In een regio waar verschillende uitzendende organisaties werkzaam zijn (missie/zending, bedrijven, overheid), is het aan te bevelen dat deze gezamenlijk enkele maatregelen nemen: een kleine voorraad bloedvervangend product, toedieningssystemen, bloedafnamesystemen, registratie van bloedgroepen en dergelijke. Op veel ambassades zijn kleine voorraden aanwezig.

Veilig verkeersgedrag is nog belangrijker dan het altijd al was. Vermijd rijden in het donker, gebruik veiligheidsgordels en als motorrijder een helm, gebruik geen alcohol, drugs, slaapmiddelen en dergelijke in het verkeer.

HOOFDSTUK 9

Slangen en andere enge beesten

SLANGEN

Van de 2700 verschillende soorten slangen is het merendeel niet giftig. De meeste wél giftige slangen zijn klein en hebben te weinig gif om een volwassen mens te doden. Slangen zijn zelden agressief. Zij bijten een mens alleen wanneer zij zich bedreigd voelen en spuiten dan in hun schrikreactie meestal maar een gedeelte van hun gif in de huid.

Slechts enkele tientallen slangen zijn voor de mens werkelijk gevaarlijk: de Afrikaanse cobra's, mamba's en reuzenadders, de Aziatische cobra's en kraits en de Amerikaanse koraal- en ratelslangen. Maar in de praktijk komen ernstige slangenbeten bij Europeanen in de tropen zelden voor. Verhalen over slangen die met hoge snelheid hun potentiële slachtoffer achtervolgen (mamba's), berusten op fantasie.

De kans op een slangenbeet is op het platteland vele malen groter dan in de steden. Wees indien u buiten de steden verblijft dan ook extra alert.

Adviezen
• Ga (op het platteland) nooit in het donker op stap zonder zaklantaarn, zodat u ziet waar u loopt en niet per ongeluk op een slang trapt.
• Draag hoge schoenen en een lange broek in terreinen waar zich slangen kunnen ophouden.

- Loop door hoog gras of struikgewas met enig lawaai, of sla met een stok voor u uit, zodat een slang tijdig kan vluchten.
- Steek ook binnenshuis nooit uw hand of voet ergens in zonder even te kijken of er een slang in zit.
- Stoor slangen niet in hun rustplaats, zoals onder stenen en hout of in gras, struiken en holen.
- Zorg dat u geen muizen of ratten in huis hebt, want die trekken slangen aan.
- Houd het gras rond uw huis kort. Slangen houden niet van open plekken.
- Als u een slang ziet, blijf dan rustig staan en geef hem de kans om zich te verwijderen.

Symptomen

Wordt u onverhoopt toch door een slang gebeten, dan hangen de gevolgen af van de soort slang en de hoeveelheid slangengif in het lichaam. Zwellingen, blaasvorming in de omgeving van de beet, vergroting van de lymfeklieren kunnen symptomen zijn van slangenbeten.

Behandeling

Na een beet zijn eerstehulpmethodes als het uitzuigen of insnijden van de wond, het 'elektriseren' en het aanleggen van een knelverband *niet* zinvol en soms zelfs gevaarlijk. Het beste is het gebeten lichaamsdeel zoveel mogelijk rust te geven, een brede zwachtel (breed verband, zakdoek) over het gebeten deel aan te leggen, stevig maar niet afknellend en het lichaamsdeel te immobiliseren en laag te houden.
Ga zo snel mogelijk naar een ziekenhuis, waar zo nodig antiserum wordt gegeven. Dit kan alleen veilig onder medische supervisie gebeuren. Het gebruik van een strakke zwachtel

tussen wond en hart is omstreden en wordt afgeraden. Indien zo'n zwachtel wordt aangelegd, moet hij in ieder geval om de tien minuten even losgemaakt worden.

Slangenserum blijft alleen goed in een koelkast en is ook daarom al ongeschikt om op reis mee te nemen. De meeste slangenbeten geven hooguit lokale verschijnselen, als zwelling en pijn. Alleen bij ernstige algemene symptomen (shock, bloedingsneiging, verlammingen) is toediening van antiserum nodig.

Het is nooit te laat voor toediening van antiserum.

ANDERE ENGE BEESTEN

Bloedzuigers en teken

Wordt u door bloedzuigers overvallen, dan kunt u ze kwijtraken door er een brandende sigaret tegen te houden, waardoor ze vanzelf loslaten.

Teken kan men op dezelfde manier kwijtraken of door er een watje met alcohol tegenaan te houden. Probeert u een teek zonder meer van de huid te trekken, dan blijft misschien een deel van de steeksnuit erin zitten, wat langdurige huidirritatie tot gevolg kan hebben.

Insecten

Allerlei insecten kunnen in de tropen fungeren als overbrenger van ziekten. Maar gelukkig veroorzaken de meeste insectenbeten ook in de tropen alleen maar wat jeuk en een lokale rode verdikking (muggenbult).

Naast de grotere muggen zijn het vooral kleine muggensoorten die men in Suriname *mampieren* en op vele plaatsen *sandflies* noemt, die het de tropenganger lastig kunnen maken. Deze *sandflies* (niet te verwarren met de *Phlebotomus*-soorten die leishmaniasis kunnen overbrengen) zijn zó klein dat zij door normaal muskietengaas heen kunnen. Als dit bewerkt is met insecticide (permethrin) is het evenwel effectief. Gevaarlijk zijn ze niet.

Kakkerlakken

Deze zijn in vele tropenhuizen vaste medebewoners. Men kan ze eng en onsmakelijk vinden, gevaarlijk zijn ze niet.

Mieren

Mieren houdt u in de tropen alleen uit huis door extreem-Hollandse properheid. Elk etensrestje of suikerklontje trekt onmiddellijk grote aantallen mieren aan. Als u niet van mieren houdt, houdt dan uw huis schoon en de suikerpot dicht.

Schorpioenen

Schorpioenen hebben hun venijn (gif) letterlijk in hun staart zitten. Daarmee slaan zij toe wanneer ze zich bedreigd voelen. Een schorpioenensteek is minder gevaarlijk dan velen denken. Meestal veroorzaakt deze slechts lokale pijn en zwelling. Ernstige algemene verschijnselen zoals shock komen vrijwel alleen voor bij kleine kinderen. Schorpioenen zitten vooral in verlaten huizen, onder stapels hout en stenen. De gevaarlijkste soorten vindt men in Noord-Afrika, Brazilië en Mexico.

Spinnen

Ook hiervoor zijn velen banger dan nodig is. Zo is de grote tarantula ongevaarlijk voor de mens. De beruchtste spin is de veel kleinere *black widow,* zwarte weduwe, die vooral in Latijns-Amerika voorkomt. Na een beet kan ondraaglijke pijn ontstaan die door tegengif bestreden kan worden. In huis vervullen spinnen en spinnenwebben in de tropen vaak een nuttige functie als opruimers van vliegen en muggen.

Vliegen

Op de rol die ordinaire huisvliegen kunnen spelen bij het overbrengen van ziekten werd al gewezen in het hoofdstuk over darminfecties.

GIFTIGE ZEEDIEREN

In warme zeeën komen meer giftige zeedieren voor dan bij ons. Baders, zwemmers en duikers lopen een relatief kleine kans met deze dieren in aanraking te komen. Bedenk dat veel van deze mooie zeedieren giftig kunnen zijn en probeer contact te vermijden.

Voor duikers dienen zwemhandschoenen, duikerspak en vinnen als goede preventie. Zwemmers en baders doen er verstandig aan niet met blote voeten te zwemmen (sandalen, gymschoenen, flippers, waterschoenen) zeker als zij boven koraalriffen gaan zwemmen.

Kwallen

De tentakels van kwallen bestaan uit vele netelcellen die zich bij aanraking ontladen. Een gevolg hiervan is jeukende of brandende huiduitslag. Met azijn of in water opgeloste aspirine is de jeuk te verhelpen. De netelcellen moeten worden verwijderd om te voorkomen dat er nog meer gif wordt afgegeven. Vooral in Zuidoost-Azië komen veel giftige kwallen voor; delen van de oceaan rond Australië zijn berucht.

Zee-egels en zeesterren

In de tropen staan deze dieren bekend om hun gevaarlijke giftige en pijnlijke stekels. Indien u op een zee-egel of zeester trapt, moet u de achtergebleven stekels één voor één zorgvuldig met een pincet verwijderen. Als u onwel wordt, is transport naar het ziekenhuis het eerste vereiste.

HOOFDSTUK 10

Na terugkeer

Wanneer u na een reis naar of verblijf in de tropen geen klachten heeft en u uw malariaprofylaxe gedurende vier weken na terugkomst hebt geslikt, hoeft u in principe niet bang te zijn voor blijvende lichamelijke klachten. Misschien hebt u wat onschuldige wormen meegebracht of andere darmparasieten, maar uit het voorgaande is hopelijk duidelijk geworden dat u daarom nog niet 'ziek' bent. Toch voelen sommigen zich niet gerust wanneer zij niet onderzocht zijn en soms eist de uitzendende organisatie dat u wordt 'uitgekeurd'. Een belangrijk onderdeel van zo'n uitkeuring is het urine-, bloed- en ontlastingonderzoek. Soms wordt in het bloed een zogenaamde *eosinofilie* gevonden: een verhoogd percentage van een bepaald soort witte bloedlichaampjes. Dit wijst meestal op een worminfectie. Afhankelijk van de landen waar u geweest bent, wordt dan gericht gezocht naar bepaalde wormen (zie blz. 74).

De klacht die het meest voorkomt bij ex-tropengangers is diarree met of zonder buikpijn. Bij ontlastingonderzoek worden dan vaak de schuldige parasieten (vooral *Giardia lamblia,* verantwoordelijk voor giardiasis, zie blz. 65) of bacteriën gevonden. Soms is er ten gevolge van herhaalde darminfecties een darmfunctiestoornis en wordt in de ontlasting veel onverteerd vet gevonden (spruw). De therapie is meestal niet moeilijk.

Sommige klachten treden pas op na langere tijd. Wie in een malariagebied is geweest, moet er rekening mee houden dat hij nog maanden na terugkeer een goedaardige malaria-aanval kan krijgen. Wie in West-Afrika is geweest kan nog een jaar later voor het eerst jeuk krijgen ten gevolge van onchocerciasis (zie blz. 80) of een Calabar-zwelling ten gevolge van loiasis (zie blz. 80).

Wormen moeten eerst volwassen worden voordat zij eieren gaan leggen. Ontlastingsonderzoek op wormeieren kort na een kortdurend tropenverblijf kan dan niets opleveren, terwijl de *eosinofilie* wel op een worminfectie kan wijzen. Weken later worden dan vaak pas de eerste eieren gevonden. Wanneer u binnen één à twee jaar na een tropenverblijf ziek wordt, vertel dan uw huisarts altijd dat u in de tropen bent geweest en waar. Verpakkingen van in de tropen gekochte en gebruikte medicijnen heeft u uiteraard bewaard. Er zijn in Nederland diverse centra waar hij/zij advies kan vragen of de patiënt kan laten onderzoeken (zie adressenlijst blz. 117). Het consultatiebureau voor tropische ziekten en het vaccinatiebureau voor de tropen, vanouds gevestigd in het complex van het Tropeninstituut, zijn sinds 1983 ondergebracht in het Academisch Medisch Centrum te Amsterdam.

NAWOORD EN LITERATUUR

Natuurlijk kan een boekje van deze omvang niet volledig zijn. Niet alle 'exotische' ziekten zijn ter sprake gekomen, maar wel de belangrijkste. Over pokken is met opzet niet meer gesproken omdat deze ziekte sinds 1977 is uitgeroeid. Op vele vragen hebt u hopelijk een antwoord gekregen, maar misschien wilt u méér weten. In elke goede (medische) encyclopedie kunt u uitgebreidere informatie vinden over de hier behandelde onderwerpen.

Een uitgebreid boek is dat van R. Dawood, *Travellers'*
Health (Oxford University Press). Wie met kinderen naar
de tropen gaat, kan veel informatie vinden in de uitgave
Met kinderen in de tropen, (Koninklijk Instituut voor de
Tropen/Medicus Mundi, 1995).
Hopelijk hebt u uit dit boekje niet de indruk overgehouden
dat het een levensgevaarlijke onderneming is om naar de
tropen te gaan. In veel opzichten kan het leven er zelfs
gezonder zijn dan in ons land met zijn overmaat aan eten en
drinken, met zijn haast en lawaai. Dat geldt helaas niet meer
voor de meeste grote steden in de tropen, waar de luchtver-
ontreiniging dramatische vormen heeft aangenomen.
Verreweg de meeste tropengangers blijven gezond in de
tropen en komen gezond weer terug.

Bijlage

INLICHTINGEN EN VACCINATIEBUREAUS

Informatienummers (niet kosteloos)

Algemene informatielijn van de GGD's en het AMC (Amsterdam) voor tropische ziekten en vaccinaties: 0900-9584

Travel Clinic Havenziekenhuis Rotterdam: 0900-5034090

ANWB-vaccinatielijn: 0900-4034075

KLM Travel Clinic Schiphol: 0900-1091096

Ministerie van Buitenlandse Zaken (informatienummer voor reisadviezen): 070-3484770 en 3484776.
Voor informatie over welke landen en gebieden door oorlog of andere oorzaken niet veilig zijn om naartoe te reizen.

Maag-Lever-Darm Stichting: 030-6055881

Nederlands Astma Fonds: 033-4941814

Stichting Bestrijding Seksueel Overdraagbare Ziekten: 030-2343700

Aids-infolijn: 0800-0222220 (gratis)

Oranje Kruis: 070-3383232. Voor informatie over EHBO-cursussen bij u in de omgeving.

Tropenzorg: 036-5334711; Website: www.tropenzorg.nl. Voor gezondheidsbeschermende bagage en producten (klamboes, kleding, eerstehulppakketten e.d.)

Ziekenhuizen/klinieken met een afdeling tropische ziekten

AMC Academisch Medisch Centrum:
Keurings en vaccinatiebureau voor de Tropen
Meibergdreef 9, Amsterdam
Afspraken: 020-5663900
Openingstijden: ma t/m vr 09.00 -12.00 uur
en 13.00 - 16.00 uur
Bij ziekte: polikliniek tropische geneeskunde - afspraken
020-5662649/5662694; buiten kantooruren: eerste hulp
AMC (dienstdoende tropenarts).

Havenziekenhuis Travel Clinic
Haringvliet 2, Rotterdam
Afspraken: 010-4123888
Openingstijden: ma t/m vr 08.30 - 17.00 uur

Academisch Ziekenhuis Leiden (AZL)
Poli Infectieziekten, Tropische geneeskunde en Vaccinaties
Albinusdreef 2, 2333 ZA Leiden
Telefonische informatie en afspraken: 071-5263636,
ma t/m vr 9.30-11.30 uur

Academisch Ziekenhuis Nijmegen St. Radboud
Afdeling Tropische Geneeskunde
Geert Grooteplein zuid 8, 8625 GA Nijmegen
Afspraken: 024-3616504

Stichting TRIP - Tropen Informatie Poli
Mandenmakerssteeg 19, Leiden
Informatie en reserveren: 071-5141415

GGD's
In vrijwel alle gevallen kunt u terecht bij de GGD in uw
omgeving voor vaccinaties en persoonlijke medische
adviezen voor reizen naar tropische landen. GGD's zijn te
vinden in de volgende plaatsen:
Friesland: Drachten, Leeuwarden, Sneek.
Groningen: Groningen, Veendam.
Drenthe: Assen, Emmen, Hoogeveen.
Overijssel: Zwolle, Almelo.
Gelderland: Apeldoorn, Arnhem, Doetinchem, Ede,
Harderwijk, Nijmegen, Tiel.
Flevoland: Lelystad
Utrecht: Amersfoort, Nieuwegein, Utrecht, Zeist.
Noord-Holland: Alkmaar, Amstelveen, Amsterdam,
Bussum, Den Helder, Haarlem, Heemskerk, Hoorn,
Purmerend, Zaanstad.
Zuid-Holland: Alphen aan de Rijn, Delft, Den Haag,
Dordrecht, Gouda, Katwijk, Leiden, Rotterdam,
Spijkenisse, Vlaardingen, Voorburg.
Zeeland: Goes.
Noord Brabant: Bergen op Zoom, Breda, Den Bosch,
Eindhoven, Helmond, Oss, Tilburg, Valkenswaard.
Limburg: Geleen, Heerlen, Maastricht, Roermond, Venlo.

De Vereniging voor Personele Samenwerking met Ontwikkelingslanden (PSO) is een samenwerkingsverband van ca. 33 Nederlandse particuliere organisaties die (in)direct betrokken zijn bij de voorbereiding en uitzending van ontwikkelingswerkers naar landen van het Zuiden en landen in transitie.

De via de vereniging PSO uitgezonden ontwikkelingswerkers zijn actief in de volgende sectoren:
- sociale basisvoorzieningen
  (gezondheidszorg, onderwijs en landbouw)
- maatschappij-opbouw
- humanitaire hulpverlening

PSO ontvangt jaarlijks ruim 40 mln. gulden van het ministerie voor de financiering van de uitzending van ongeveer 780 ontwikkelingswerkers naar zo'n 60 landen.

Vereniging PSO
Willem Witsenplein 2
2596 BK Den Haag

Tel: 070 - 3245008
Fax: 070 - 3282430
pso@worldaccess.nl

Register

Paginanummers in **vet** geven aan waar het onderwerp uitvoerig behandeld wordt.

BIJZONDERE GROEPEN

De raadgevingen in *Hoe blijf ik gezond in de tropen* richten zich op gezonde volwassenen die een reis gaan maken naar een tropisch land. Op een aantal plaatsen is – als dat nodig leek – aparte informatie opgenomen voor mensen die voor langere tijd in de tropen gaan werken en wonen.
Voor kinderen, zwangere vrouwen en een aantal bijzondere groepen gelden afwijkende adviezen, doseringen en medicijnen,
Op de volgende plaatsen in het boek vindt u aparte informatie voor deze groepen:

Baby's (zie kinderen)
Expatriates/Lang verblijf **12-14**, 21-22, 25, 39, 40, 41, 75, 77, 88, 93, **105-106**
Kinderen 15-16, 20, 22-24, 33-34, 37, 40, 43, 45, 48-49, 56-58, 65, 76, 90, 94, 110
Mensen die regelmatig bepaalde 28
medicijnen dienen te gebruiken
Mensen met verminderde weerstand 24
Mensen zonder milt 25
Zwangeren 21, **23-24**, 45, 47-49, 56

KLACHTENREGISTER

Ademhaling   10, 28, 37, 38
Blaasproblemen   33, 78, 96
Bloedarmoede   84, 98, 106
Bloeding   94, 109
Braken   48, 56, 66, 85, 94
Buikpijn   65, 67, 72, 76-77, 82-83, 85-87, 113
Depressies   45, 46, 48, 93
Diarree   25, **38-40**, 49, 56, 63, 65-68,
                                          70-71, 78, 83, 85-87, 113
Duizeligheid   33, 45, 48, 57
Eczeem (zie ook huidaandoeningen)   10, 35-36, 80, 90
Gewrichtspijnen   56, 93, 94
Hartritmestoornissen   57
Hoesten   56, 78
Hoofdpijn   30, 56, 70, 93
Huidaandoeningen (eczeem, uitslag, irritaties, infecties,
schimmels): zie ook hoofdstuk 6 Huidziekten: 27, 28, 31,
                               38, 45, 49, 57, 78, 80, 81, 86,
                       88-92, 94, 98, 99, 102, 109, 112
Jetlag   30
Jeuk   26, 35, 76, 80-81, 90-92, 109, 112, 114
Koorts   38-40, 42-61, 65-66, 68-69,
                            71-72, 78, 93-95, 98-100, 102
Maagklachten   57, 68, 71
Misselijkheid   33, 48, 57, 65, 68, 72, 94
Moeheid   13, 33, 95
Neerslachtigheid, zie Depressie
Neusklachten   26
Nierstenen   33
Ontlasting met bloed en slijm   38-40, **66**, **68**

Ontlasting, vettig en brijachtig 38-40, **65**
Oogklachten 26, 49, 78, 80, 94
Rugpijn 93
Slaapstoornis 45, 48
Slaperigheid, zie moeheid
Spierpijn 33, 56, 94
Steenpuist 89
Stuipen 56
Transpireren 32-33
Uitdroging 33, 39, 71
Vaginale afscheiding 96
Vaginale schimmelinfecties 49
Verlamming 73, 109
Verstopping 26-27, 70
Verveling 13-14
Voedselvergiftiging 66
Waandenkbeelden 46, 48
Wondjes 26, 36, 88
Zonnebrand (zie ook zon, zakenregister) 31, 49
Zwelling (zie ook Calabar-zwelling) 109, 110
Zweren 88-89, 96

REGISTER VAN ZIEKTEN EN ONGEDIERTE

Aarsmaden 74, **75**
Aids 37, 96, **101-106**
Amoebendysenterie 40, 63, **66-68**
Ancylostoma duodenale 84
Ascaris lumbricoides (spoelwormen) 85
Astma (zie ook ademhaling) 10
Bacillaire dysenterie 27, 38-40, 63, 66, **68**
Bilharzia-wormen 34, 37, 41, **77-78**

Birma-worm	86
Blaasworm	84
Bloedzuigers	109
Bof	23-24
Bosyaws	89
Brucellose (maltakoorts)	38, **93**
Buiktyfus	15-16, 24-25, 38, 63, 67, **69-70**
Calabar-zwelling	80, 114
Chagas, ziekte van	99-100
Chigger	92
Chigoe flea	92
Cholera	15-16, 63, **70-71**
Creeping eruption	81
Cysten	68
Darminfecties	**62-73**, 113
Dengue (knokkelkoorts)	38, **93-95**
Difterie	16
Druiper (gonorroe)	96
Dysenterie	27, 38-40, 63, 67-69
Echinococcus granulosus	84
Epilepsie	83
Filaria-wormen	37, **79-80**
Framboesia	88
Geelzucht (Hepatitis)	**20-21**, 63, **71**, 97
Gele koorts	**15-19**, 24, **95**
Geslachtsziekte (venerische ziekte)	95-96
Giardiasis	40, 63, **65**, 67, 113
Gonorroe (druiper)	96
Grasluis	91
Griep	38, 43, 55, 94
Hepatitis A (geelzucht)	**15-17**, **20-21**, 24, 63, **71-72**
Hepatitis B (geelzucht)	**16-17**, **21**, 96-97

HIV-syndroom 102
Hondsdolheid (rabiës) 22, 24, **97**
Huidziekten 11-12, **88-92**
Hymenolepis nana 74, **83**
Insecten 109
Japanse encefalitis 16-17, **21**, 24
Jigger 92
Kakkerlakken 110
Kala azar 38, **98**
Katayama-syndroom 78
Kinderverlamming (polio) 16-17, 63, **72**
Kinkhoest 16, 37
Knokkelkoorts (dengue) 38, **93**
Kwallen 112
Larva migrans **81**, 92
Leishmaniasis (zie ook Kala azar) **89**, 98
Lepra 88
Lintwormen 75, **81-84**
Loa loa 80
Loiasis **79-80**, 114
Longontsteking 37-38
Lota 90
Lues (syfillis) 96
Luizen **92**, 98
Malaria 14-15, 25, 31, 38, **42-61**, 106, 114
Malaria quartana 15, **58**
Malaria tertiana 15, **58**
Malaria tropica 15, 37, 42, **55-59**, 61
Maltakoorts (brucellose) 93
Mampieren 109
Mazelen 23-24, 37, 72
Meningitis (nekkramp) 23

Mieren	110
Mijnwormen	12, 37, 74, 81, **84**
Mijten	**91**, 98
Muggen	26, 31, 43-44, 79, 80, 94, 95, 98
Myiasis	89
Necator americanus	84
Nekkramp (meningitis)	23
Onchocerca volvulus (rivierblindheid)	**80**, 92, 114
Panu	90
Paratyfus	38, **70**
Patataloso	91
Pityriasis versicolor	90
Pokken	114
Polio (kinderverlamming)	16-17, 63, **72**
Prickly heat	11, 26, 36, **90**
Rabiës (hondsdolheid)	22, 24, **97**
Reizigersdiarree	**37-40**, 63, 66
Rickettsiosen	98
Ringworm	90
Rivierblindheid (onchocerciasis)	**80**, 92, 114
Rodehond	23-24, 72
Rode hond	89
Salmonella-infecties	66
Sandfly	80, 89, 98, 110
Scabiës (schurft)	**91**, 96
Schaamluizen	**92**, 96
Schimmels	26, 49, **90**
Schistosoma haematobium	78
Schistosoma mansoni	77
Schistosomiasis	37, **77**
Schorpioenen	110
Schurft (scabiës)	**91**, 96

Serumhepatitis, zie hepatitis B
Shock 94, 109-110
Slaapziekte (trypanosomiasis) 37-38, **99**
Slangen 107-109
Spinnen 111
Spoelwormen 74, **85**
Strongyloides 12, 37, 74, **86**, 92
Suikerziekte 10
Syfilis (lues) 96
Taenia saginata 82
Taenia solium 82
Teken 98, 109
Teken-encefalitis 23
Tekenbeetkoorts 98
Tekenkoorts 38
Tetanus 16
Tick-typhus 98
Trichuris trichiura 86
Trombose 10
Trypanosomiasis (slaapziekte) 37, **99**
Tseetseevlieg 99
Tuberculose **16-17**, **21-22**, 24, 37
Ulcus molle (weke sjanker) 96
Venerische ziekte (geslachtsziekte) 95
Vlektyfus 98
Vliegen, zie ook hygiëne 80, 111
Vlooien **92**, 98
Wantsen 100
Weke sjanker (ulcus molle) 96
Wormen **74-87**, 92
Wuchereria bancrofti 79
Zandvlooien 92

Zeedieren 111
Ziekte van Chagas 99
Zweepwormen 86

ZAKENREGISTER

Afgelegen gebieden 27, 28
Airconditioning 13, 31
Alcohol 13, 34, 72
Antibioticum 27
BCG 21-22
Behandeling tropische ziekten 40
Bloedgroep 11, 106
Bloedtransfusie 102-103, 105, 106
Blote voeten (zie schoenen)
BMR 23-24
Bril 10-11
Condooms 27, 102, 104
Contactlenzen 11
DEET 44-45
DKTP 15, **16-17**, 24, 73
Drinkwater, zie ook hygiëne 35, 62-63, 71
DTP **16-17**, 73
Duiken, zie zwemmen
EHBO 28
Eosinofilie 86, 113-114
Gammaglobuline 15, 20-21, 24, 72
Gehoorapparaat 11
HIV, humaan immuno deficiëntie virus 101
Huisapotheek **25-27**, 88, 91
Hygiëne **34-36**, 37, 40, 62-64, 70, 71, 75-76, 88, 91, 102
Inentingen (vaccinaties) **14-25**, 37, 97

Injecties	27, 28, 40, 97, **102-106**
Jodium	26, 36, 63, 88
Klamboe (muskietennet)	44, 100
Kleding	**11-12**, 32, 36, 44, 76, 90
Klieren	99, 108
Koraalrif	111
Literatuur	114
Malariapillen (profylaxe)	14, **42-54**, 56, 59-60
Mantoux-reactie	22
Muskietennet (klamboe)	44, 100
Ongelukken	104, 106
Oogartsen	11
ORS	40
Permethrin	44, 100, 110
Profylaxe, zie malariapillen	
Rust	13
Schoeisel	12, 84, 92, 111
Snorkelen (zie zwemmen)	
Spuiten, zie injecties	
TAB	70
Tandarts	11, 102
Tropenkeuring	11, 113
Vaccinaties (inentingen)	**14-25**, 37, 97
Verdrinking	7, **34**
Verkeersongeluk	7, 34, 106
Verzekering	10, 105
Voeding	13, 35, **63-64**, 66, 69, 71, 72, 83- 86, 93
Waterzuivering, zie hygiëne	
Ziekenhuisopname	104, 106
Zon	11, 13, **31**, 49, 88
Zout	33
Zwemmen	31, **34**, 77-78, 111-112